International School of Stuttgart
Sigmaringer Strasse 257
70597 Stuttgart, Germany
Telephone: 49 (0) 711 76 96 000
Fax: 49 (0) 711 76 96 0010

127

Autoras: Encina Alonso, Neus Sans

Coordinación editorial y redacción: Jaime Corpas
Corrección: Eduard Sancho
Diseño y maquetación: Enric Font
Ilustraciones: Javier Andrada, David Revilla, Man (cómics págs. 17, 27, 37, 42, 57, 69, 81, 86,), Enric Font, Joaquín Salvador Lavado (Quino) (pág. 16 y 43)
Fotografías: Frank Kalero **excepto:** Unidad 1: pág. 10, 11, 14, 16 Enric Font, Europa Press, pág. 17 Pol Wagner y Xavier Viñas / Unidad 2: pág. 21 Marc Javierre, pág. 27 Educación sin Fronteras / Unidad 3. pág. 37 Jorge Represa Bermejo / Unidad 4: pág. 47, 48, 49, 58 Marc Javierre / Unidad 5: pág. 63 Enric Font, pág. 65 Erich Koller, pág. 68 ACI Agencia Fotográfica / Unidad 6: pág. 73 Matilde Martínez, pág 71 Enric Font, pág. 74 Carlos Sarmiento, Enric Font, Pau Cabruja, pág. 75 ACI Agencia Fotográfica, pág. 79 Enric Font, pág. 80 Jaume Cabruja, pág. 81 Jaime Corpas / Unidad de repaso 4, 5 y 6: pág. 88 Enric Font
Grabación: Estudios CYO
Voces: Jefferson Arese, Montse Belver, Joshua Cortés, Pablo Garrido, Esther Gil, Moisés de Gomar, Adriana González, Raquel López, María Ángeles Martínez, Rosa Moyano, Mocho, Jorge Peña, Leila Salem, Judith San Segundo, David Serra, Práxedes de Villalonga, Pol Wagner.
Canciones: Encina Alonso, Neus Sans, Detlev Wagner

Agradecimientos:

Aleix Bayé, Laura Bayé, Marta Boades, Jaume Cabruja, Cristina Esporrín, Gerard Freixa (Textura Ediciones), Martí Gumbert, Sam Gutiérrez, Sara Gutiérrez, Charo Izquierdo, Erich Koller, Elvira Lindo, Matilde Martínez, Mercè Martínez, Albert Miquel, Eduard Miquel, Judith Mir, Gemma Olivas (Educación sin Fronteras), Alba Rabassedas, Mireia Turró, Emilio Uberuaga, Xavier Viñas, Pol Wagner.
IES Palau Ausi de Ripollet (Barcelona) y a sus alumnos: Laura Carrasco Martínez, Joshua Cortés Herrera, Jeinaba Daffeh Hereza, Ana G. Samper, Katia G. Samper, Lorena Garvín Molina, Johnny Gaspar Utrera, Esther Gil Rodríguez, Cristian Lledó Pérez, Priscila López Julines, Alba Pampín Navines, María Ángeles Martínez, Judith Martínez Godayol, Sara Navarrete Palos, Marta Sáez Tejo, Judith San Segundo Cordones, Sabina Sánchez Aller, Jonatan Sánchez Garrido, Anna Serra Bravo.

Queda prohibida cualquier forma de reproducción, distribución, comunicación pública y transformación de esta obra sin contar con la autorización de los titulares de la propiedad intelectual. La infracción de los derechos mencionados puede ser constitutiva de delito contra la propiedad intelectual (arts. 270 y ss. Código Penal).

© Las autoras y Difusión S.L. Barcelona 2004

ISBN: 978-84-8443-157-2
Depósito legal:B-23.510-2007

Reimpresión (mayo 2007)

Impreso en España por Novoprint

difusión
Centro de
Investigación y
Publicaciones
de Idiomas, S. L.

C/ Trafalgar, 10, entlo. 1ª
08010 Barcelona
Tel (+34) 93 268 03 00
Fax (+34) 93 310 33 40
editorial@difusion.com

www.difusion.com

Gente JOVEN 1

Curso de Español para Jóvenes

Encina Alonso
Neus Sans

¿Cómo funciona

Gente joven está diseñado siguiendo el enfoque por tareas. ¿Qué quiere decir esto? Pues que creemos que las lenguas se aprenden sobre todo haciendo cosas con ellas, usándolas para comprender y para decir cosas interesantes y divertidas. Se aprende a hablar, hablando y a escribir, escribiendo, como se aprende a bailar o a jugar al fútbol, practicando.

Aprender así te va a obligar a participar activamente en clase. No esperes que te lo expliquen todo. Puedes descubrir muchas cosas por ti mismo o con ayuda de tus compañeros. Y verás, ¡aprender un idioma puede ser muy divertido!

Cada unidad empieza con una **portadilla** en la que se explica qué vamos a hacer y qué vamos a necesitar para hacerlo.

En las páginas siguientes encontrarás una serie de **actividades y ejercicios**. Leyendo textos, escuchando las grabaciones, jugando, haciendo teatro, escribiendo en grupo, etc., vamos a explorar cómo funciona el español y a hacer pequeñas experiencias usándolo para comunicarnos con nuestro profesor y con los compañeros de clase.

Este icono (🔤) significa que tienes que buscar palabras nuevas y que puedes añadirlas a tu **diccionario personal**.

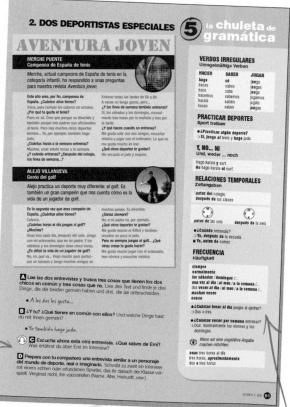

En los ejercicios encontrarás ejemplos, como éstos, de lo que tú y tus compañeros tenéis que **decir** (●, ○) o **escribir** (✎).

Este icono indica que puedes escuchar la **audición** en tu CD (🎧).

En cada una de estas páginas hay una **Chuleta de gramática** que nos ejemplifica algunas reglas y nos proporciona modelos para poder imitarlos.

Gente joven?

En **La Revista loca** hemos incluido sobre todo textos relacionados con los temas de la unidad. De esta forma, a tu ritmo, puedes aprender más sobre la lengua española y sobre los países en los que se habla. Hay también chistes, pasatiempos, informaciones curiosas y canciones.

Y las historias, en forma de cómic, de un grupo de amigos: **La peña del garaje**.

Con esta parte de cada unidad vamos a ir fabricando un **dossier** con nuestros trabajos en español, como sugiere el **Marco de Referencia Europeo de las Lenguas**. Los haremos a veces individualmente y a veces en equipo. También podemos elaborar textos para mandar a chicos y a chicas de otras escuelas de países en los que se habla español. ¡Así tendremos nuevos amigos y practicaremos el español!

Si podéis, es muy útil grabar o filmar vuestros trabajos e incluirlos en vuestro **portfolio**.

Después de cada tres unidades, tenemos una de **repaso**, que nos permitirá evaluar nuestros progresos y saber qué aspectos tenemos que trabajar más.

Hay actividades dedicadas al vocabulario, a la lectura, a la escritura y a la comunicación oral. También hay un test de gramática, algunas preguntas de cultura y una ficha para reflexionar sobre cómo podemos aprender mejor.

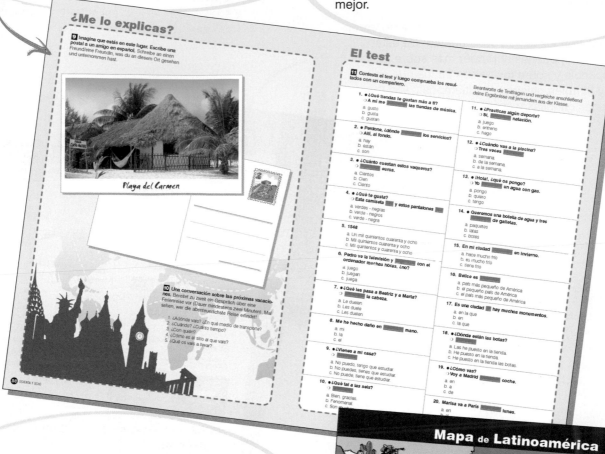

En **La gran chuleta de gramática** podrás consultar tus dudas y también encontrarás ejemplos de todos los recursos para comunicarnos en español que hemos aprendido.

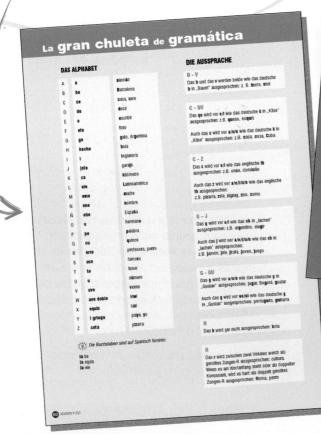

En los **Mapas culturales** descubrirás muchas cosas interesantes sobre los países en los que se habla español.

Índice

① Tú y yo

En esta unidad vamos a:

Intercambiar información sobre nosotros y sobre nuestros amigos.

Para ello vamos a aprender:

- los números del 0 al 20
- a deletrear
- a hablar de la familia
- **mi**, **mis**, **tu**, **tus**, **su**, **sus**
- a saludar y a despedirnos
- el Presente de **llamarse**, **ser** y **tener**

1. ADIÓS A LAS VACACIONES

A Un grupo de chicos y chicas de un instituto vuelve a casa después de pasar unos días de vacaciones. La monitora pasa lista. Hay tres que no están. ¿Quiénes son? Escribe los números en tu cuaderno.

I.E.S. ANTONIO MACHADO
GRUPO: 1º ESO
PROFESORA: ISABEL TORNERO

1. Eugenia Alonso Arija
914926284   móvil: 613348595
2. Iñaki Arrizabalaga Garmendia
913627394
3. David Blanco Gutiérrez
914638502   móvil: 669395474
4. Martín Blanco Gutiérrez
913638502   móvil: 669395475
5. Lorena Cañas Aral
918253749
6. Alba Casado Gil
916236491   móvil: 69374856
7. Sara Luna Rico
913527394   móvil: 61757309
8. Pablo Márquez Ruiz
916679065
9. Cristina Martínez Verdú
918464924
10. Fátima Massana Nasret
916340478
11. Jonathan Pérez Nanotti
913373947
12. Paula Rojo Azcárate
918273940   móvil: 619476485
13. Joaquín Vázquez Robles
918364342
14. Javier Vázquez Cembrero
916538453

B ¿Conoces algún otro nombre o apellido español? Háblalo con un compañero.

- *Sí, Antonio Banderas.*

C ¿Sabes qué nombres de la lista son de chico y qué nombres son de chica? Con un compañero trata de clasificarlos.

- *Eugenia es un nombre de chica, ¿no?*

NOMBRES DE CHICO:
David

NOMBRES DE CHICA:
Eugenia

D Leed los nombres en voz alta. ¿Hay algún nombre o apellido de esta lista difícil de pronunciar? ¿Cuál? El profesor os ayudará.

E ¿Qué nombre te parece más bonito? ¿Quieres elegir un nombre de la lista (u otro) para usarlo en la clase de español? Puedes escribirlo en un papel y ponerlo en tu pupitre.

Cristina es un nombre muy bonito

CRISTINA

2. ¿CÓMO SE ESCRIBE?

A ¿Puedes deletrear tu nombre y tu apellido?

● Alberto: a, ele, be, e, erre, te, o.

B En grupos de cuatro: uno de vosotros empieza a deletrear el nombre de una persona famosa hasta que alguien lo adivine. ¿Cuántas letras habéis necesitado? Gana el grupo que necesita menos.

● E, i, ene, ese, te, e...
○ ¡Einstein!
● Sí. Vale, seis letras.

3. CON BE O CON UVE

A Escucha y escribe en tu cuaderno los nombres de ciudades españolas y latinoamericanas.

B Compara tu lista con la de tu compañero.

● ¿Bogotá se escribe con be o con uve?
○ Creo que se escribe con be...

C El profesor os va a dar las soluciones. Luego, podéis añadir otras. ¿Quién tiene la lista de ciudades más larga?

4. PALABRAS, PALABRAS

A Z ¿Conocéis alguna palabra en español? ¡Cerrad los libros, levantaos y escribid en la pizarra todas las palabras que conozcáis!

EL ABECEDARIO

A	a	J	jota	R	erre
B	be	K	ca	S	ese
C	ce	L	ele	T	te
D	de	M	eme	U	u
E	e	N	ene	V	uve
F	efe	Ñ	eñe	W	uve doble
G	ge	O	o	X	equis
H	hache	P	pe	Y	i griega
I	i	Q	cu	Z	ceta

LOS NÚMEROS DEL 0 AL 10

1	uno	6	seis
2	dos	7	siete
3	tres	8	ocho
4	cuatro	9	nueve
5	cinco	10	diez

DELETREAR

● **¿Cómo se escribe** tu apellido?
○ Ele, o, pe, e, ceta, López.

	con uve?
¿Se escribe	**con** acento?
	con hache?

hola
playa
fiesta

5. ¿QUIÉN ES QUIÉN?

Busca a estas personas en la ilustración y después escribe los números y sus nombres en tu cuaderno.

Se llama Thomas, es alemán y tiene 12 (doce) años.
Se llama Ricardo, es portugués y tiene 13 (trece) años.
Se llama Monique, es francesa y tiene 14 (catorce) años.
Se llama David, es inglés y tiene 15 (quince) años.
Se llama Silvia, es española y tiene 16 (dieciséis) años.
Se llama Igor, es ruso y tiene 17 (diecisiete) años.
Se llama Keiko, es japonesa y tiene 18 (dieciocho) años.
Se llama Paolo, es italiano y tiene 19 (diecinueve) años.

● Thomas es el número...

6. MASCULINO Y FEMENINO

A Forma parejas de la misma nacionalidad.

Eric es belga.

Vanessa es inglesa.

Adriana es brasileña.

Petra es alemana.

Marco es italiano.

Nacho es español.

Fred es canadiense.

Carla es italiana.

Bárbara es española.

Ricky es inglés.

Mary es canadiense.

Eduardo es brasileño.

Juliette es belga.

Theo es alemán.

● Petra y Theo.

B Clasifica los adjetivos de nacionalidad en tu cuaderno según esta tabla.

1 O – A
ALGUNOS ADJETIVOS TIENEN DOS FORMAS: MASCULINO **O**, FEMENINO **A**
americano, americana

2 +A
ALGUNOS FEMENINOS SE FORMAN AÑADIENDO UNA **A** AL MASCULINO
francés, francesa

3 =
ALGUNOS ADJETIVOS TIENEN LA MISMA FORMA PARA EL MASCULINO Y EL FEMENINO
marroquí

C Con ayuda del diccionario (o de tu profesor), puedes buscar ahora otras tres nacionalidades que te interesen. ¿Cuáles son las formas masculinas y femeninas?

7. ¡HOLA! YO SOY HUGO

A Mira cómo se presentan estos chicos y chicas. Escucha y lee el texto.

¡Hola! ¿Qué tal? Me llamo Martín. Hablo español y alemán porque mi madre es alemana y mi padre chileno. Soy alemán y chileno.

Yo me llamo Judith. Tengo un gato que se llama "Armonía".

Hola, yo soy Sam. Mi número de teléfono es el 972843898.

Hola, me llamo Yasmín. Tengo tres hermanos. Hablo español, árabe y un poco de francés. Mi número de móvil es el 666845673.

Me llamo Tina. Tengo trece años. Mis padres son argentinos. Yo soy española y argentina. Tengo dos gatos que se llaman "Luna" y "Sol".

¡Hola! Yo soy Alejo. Tengo catorce años. Tengo un perro que se llama "Fiel".

B Con la información que tienes, completa estas frases:

1. Dos personas que tienen gatos: .... y ....
2. Una persona que tiene un perro: ....
3. Una persona que no es española: ....
4. Dos personas que tienen dos nacionalidades: .... y ....
5. Dos personas que hablan dos idiomas: .... y ....

C ¿Y en vuestra clase? Tomad notas en la pizarra para confeccionar una estadística.

1. ¿Quién tiene un gato?
2. ¿Quién tiene un perro?
3. ¿Quién tiene dos nacionalidades?
4. ¿Quién habla dos idiomas?

● Yo tengo un gato.
○ ¿Y quién tiene dos nacionalidades?
● Nadie, creo.

SALUDOS Y DESPEDIDAS

¡Hola!
¡Adiós!

INFORMACIÓN PERSONAL

● **¿Cómo te llamas?**
○ (**Me llamo**) Pablo.

● **¿De dónde eres?**
○ **Soy** italiano/a.

● **¿Cuántos años tienes?**
○ (**Tengo**) 12 **años.**

POSESIVOS

mi	mis
tu	tus
su	sus

Mi madre es alemana y **mi** padre chileno. Edu y Clara son **mis** hermanos.

LA FAMILIA

1. Mi padre + mi madre = **mis padres**
2. Mi hermano + mi hermana = **mis hermanos**
3. Mi hermana + mi hermana = **mis hermanas**
4. Mi hermano + mi hermano = **mis hermanos**

LLAMARSE

(yo)	**me llamo**
(tú)	**te llamas**
(él, ella, usted)	**se llama**
(nosotros, nosotras)	**nos llamamos**
(vosotros, vosotras)	**os llamáis**
(ellos, ellas, ustedes)	**se llaman**

SER

(yo)	**soy**
(tú)	**eres**
(él, ella, usted)	**es**
(nosotros, nosotras)	**somos**
(vosotros, vosotras)	**sois**
(ellos, ellas, ustedes)	**son**

TENER

(yo)	**tengo**
(tú)	**tienes**
(él, ella, usted)	**tiene**
(nosotros, nosotras)	**tenemos**
(vosotros, vosotras)	**tenéis**
(ellos, ellas, ustedes)	**tienen**

8. NÚMEROS DE TELÉFONO

A Identificad de quién es el número que lee vuestro profesor. Luego sigue jugando con tu compañero.

- Seis, uno, siete, uno, nueve, dos, siete, cuatro.
- Es el número de María.

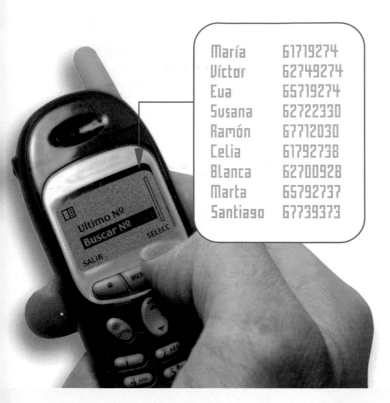

María	61719274
Víctor	62749274
Eua	65719274
Susana	62722330
Ramón	67712030
Celia	61792738
Blanca	62700928
Marta	65792737
Santiago	67739373

B Cada uno de vosotros escribe un número de teléfono en dos papeles y le da uno al profesor. Este simula llamar por teléfono y el que tiene el número contesta.

632 688 078

¿Diga?

9. NOS VEMOS EN EL CHAT

Rocío y Álvaro están chateando. Lee su conversación y con un compañero preparad un texto parecido con información vuestra.

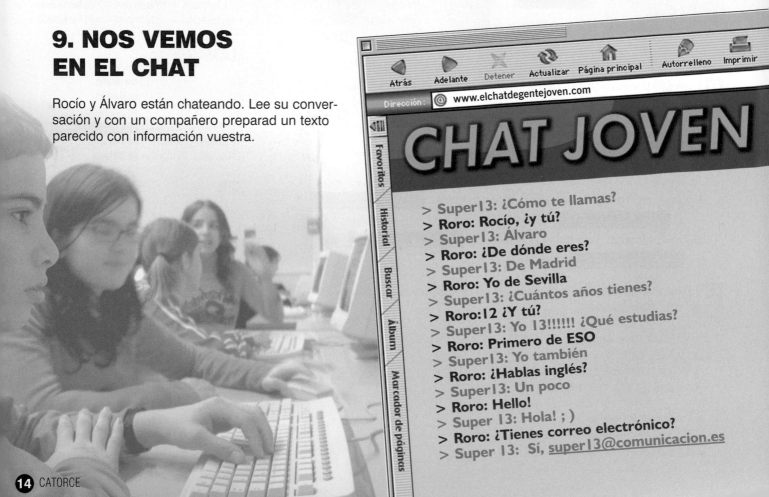

Dirección: @ www.elchatdegentejoven.com

CHAT JOVEN

> Super13: ¿Cómo te llamas?
> **Roro: Rocío, ¿y tú?**
> Super13: Álvaro
> **Roro: ¿De dónde eres?**
> Super13: De Madrid
> **Roro: Yo de Sevilla**
> Super13: ¿Cuántos años tienes?
> **Roro:12 ¿Y tú?**
> Super13: Yo 13!!!!!! ¿Qué estudias?
> **Roro: Primero de ESO**
> Super13: Yo también
> **Roro: ¿Hablas inglés?**
> Super13: Un poco
> **Roro: Hello!**
> Super 13: Hola! ;)
> **Roro: ¿Tienes correo electrónico?**
> Super 13: Sí, super13@comunicacion.es

10. ¿EN CUÁNTOS PAÍSES SE HABLA ESPAÑOL?

 A Escucha y, luego, contesta a estas preguntas. Escribe las respuestas en tu cuaderno.

a. ¿De dónde es Marta?
b. ¿Cuántos años tiene Pedro?
c. ¿Tiene hermanos Joaquín?
d. ¿Cuál es el número de teléfono de Marcos?
e. ¿Cuántos idiomas habla Samila?

B Ahora os toca a vosotros. Uno es el locutor de radio y los otros cuatro, participantes. ¿Podéis grabarlo?

11. MI DNI

Esto es un DNI, documento nacional de identidad español.
¿Por qué no haces el tuyo?

---

1 la **chuleta** de **gramática**

LOS NÚMEROS DEL 11 AL 20

11 **once**	16 **dieciséis**
12 **doce**	17 **diecisiete**
13 **trece**	18 **dieciocho**
14 **catorce**	19 **diecinueve**
15 **quince**	20 **veinte**

EL TELÉFONO Y EL CORREO ELECTRÓNICO

● **¿Cuál es tu número de teléfono?**
○ **(Es el)** 914859584.

● **¿Tienes móvil?**
○ **Sí, es el** 67884367.

● **¿Tienes correo electrónico?**
○ **Sí,** alicia@hotline.es.

☀ @ *se dice* **arroba**.

DATOS PERSONALES

NOMBRE: Pedro
APELLIDOS: Martínez Arroyo
LUGAR DE NACIMIENTO: Ronda (Málaga)
FECHA DE NACIMIENTO: 14-6-93
DOMICILIO: C/ Zurbano, 14, 28010 Madrid

LA REVISTA LOCA

LOS NOMBRES DE MODA

LOS NOMBRES MÁS POPULARES

Todos tenemos un nombre, ¿verdad? Y el nombre es importante. ¿Por qué te llamas Ana, o Martina, o Manuela? ¿Tu madre se llama así? ¿Tu abuela? ¿Es un nombre bonito? También hay nombres de moda. Estos son los más votados en una web latina. ¿Qué nombres te parecen más bonitos?

Dirección: www.nombresdemoda.com

NOMBRES de HOMBRE			
NOMBRE	VOTOS	NOMBRE	VOTOS
Diego	10.444	Juan	1.432
Antonio	5.688	Raúl	1.312
Felipe	3.894	Salvador	1.290
Manuel	3.832	Óscar	1.049
Joel	3.572	Pedro	1.016
Pablo	3.437	Enrique	783
Carlos	2.344	Mario	672
Jesús	1.681	César	666
Miguel Ángel	1.528	Víctor Manuel	570
Alfonso	1.452	Carlos Alberto	387

NOMBRES de MUJER			
NOMBRES	VOTOS	NOMBRES	VOTOS
Paula	46.634	Cristina	652
Carolina	2.370	Frida	509
María	2.235	Belén	494
Jennifer	1.294	Alicia	457
Isabel	1.264	Sheila	369
Natalia	1.243	Guadalupe	347
Diana	1.177	Sonia	335
Flor	979	Coral	326
Susana	887	Miranda	305
Clara	682	Margarita	294

VOTA AQUÍ

VOTA AQUÍ

C de Cultura

FAMOSOS QUE HABLAN ESPAÑOL

¿Los conoces?
¿Cómo se llaman?
¿De dónde son?

colombiano/a/s
español/a/es/as
mexicano/a/s
argentino/a/s
estadounidense/s

1

2

3

4

5

6

7

La, la, la...

SE EQUIVOCA, SE EQUIVOCA

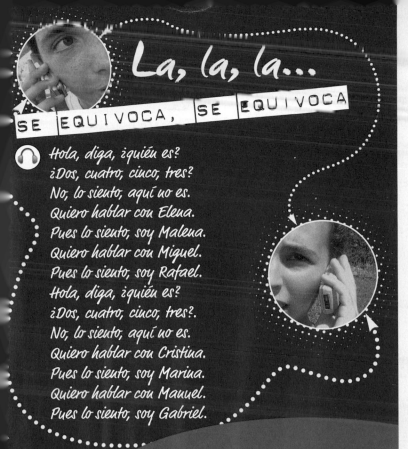

🎧 *Hola, diga, ¿quién es?*
¿Dos, cuatro, cinco, tres?
No, lo siento, aquí no es.
Quiero hablar con Elena.
Pues lo siento, soy Malena.
Quiero hablar con Miguel.
Pues lo siento, soy Rafael.
Hola, diga, ¿quién es?
¿Dos, cuatro, cinco, tres?
No, lo siento, aquí no es.
Quiero hablar con Cristina.
Pues lo siento, soy Marina.
Quiero hablar con Manuel.
Pues lo siento, soy Gabriel.

Mándanos la foto de tu mascota

Me llamo Javier y mis conejos se llaman "Rasta" y "Fari".

Yo soy Sam. Tengo una burrita que se llama "Zalamera" y que tiene 10 años.

Me llamo Pablo y mi corderito se llama "Pepón".

MI FAMILIA, LA PEÑA Y YO

YO ME LLAMO ENRIQUE, KIKE PARA LOS COLEGAS. TENGO 13 AÑOS, ESA EDAD TAN DIFÍCIL COMO DICEN LOS PADRES Y PROFESORES. ¡NO ES DIFÍCIL! ESPECIALMENTE SI TIENES AMIGOS. Y YO TENGO BUENOS AMIGOS: LA PEÑA DEL GARAJE. Y MI FAMILIA...

TENGO UN HERMANO, LUCAS. TIENE 3 AÑOS.

Y UNA HERMANA: AINOA. BUENO..., A AINOA LA LLAMAMOS "PELUCHE". Y TIENE 8 AÑOS.

TENGO DOS PECES... QUE NO TIENEN NOMBRE.

TAMBIÉN TENGO UN PERRO: TRUENO.

Y UN GATO: SIMÓN.

Y TENGO UN GARAJE. Y EN EL GARAJE SE REÚNE "LA PEÑA".

¡QUÉ SUERTE TENGO!

MOCHILA DE KIKE

CAMISETA DE KIKE

GALLETAS DE KIKE

MOCHILA DE KIKE

El DOSSIER de la CLASE

En esta parte de cada lección vamos a fabricar un pequeño dossier en español con nuestros trabajos, nuestras grabaciones, etc. A veces individualmente, a veces en equipo. Con los materiales que preparemos podremos evaluar nuestros progresos. También vamos a preparar textos para mandar a chicos y a chicas de otras escuelas en España o Latinoamérica. Tendremos nuevos amigos y practicaremos el español.

EL RETRATO DE UNA PERSONA IMPORTANTE

Vamos ahora a realizar un pequeño cartel sobre otra persona.
Puede ser un amigo, alguien de la familia o una persona famosa.

TAREA:

Escribe toda la información que puedas sobre esta persona.

NECESITAMOS...

• Una foto o una caricatura de una persona importante para ti

MI RETRATO

Vamos a realizar un pequeño cartel sobre nosotros mismos.

TAREA

Puedes poner información sobre ti: nombre y apellidos, teléfono, dirección, información sobre tu familia, tu mascota, qué idiomas hablas, etc.

NECESITAMOS...

• Una foto, un dibujo o una caricatura tuya (la puede hacer un compañero)
• Una cartulina de un color que te guste o una hoja de papel
• Recortes de revistas
• Rotuladores
• Pegamento
• Tijeras

Me llamo Ingrid.

Soy chilena.

Tengo 13 años.

Mi número de teléfono es el 457 36 38. No tengo móvil.

Hablo alemán, un poco de inglés y español.

No tengo hermanos.

Mi correo electrónico es ingrid@online.com

Tengo un perro que se llama "Momo".

Mi cole

En esta unidad vamos a:

Imaginar un colegio ideal y a entrevistar a un amigo sobre su colegio.

Para ello vamos a aprender:

- a hablar de existencia: **hay**
- **también/tampoco**
- los posesivos: **nuestro/a, vuestro/a, su**
- el artículo determinado
- a expresar gustos y preferencias: **gustar**
- la sílaba tónica
- a hablar de horarios y de la frecuencia: la hora, las partes del día, los días de la semana
- a preguntar por cantidades: **¿Cuántos/as?**
- los números del 20 al 100

1. UN COLE MUY ESPECIAL

A Este es el colegio XY3, en la galaxia Odiseus 5.
¿Qué hay? ¿Qué no hay? Escríbelo en tu cuaderno.

1. ¿Hay sólo niños, sólo niñas o niños y niñas?
2. ¿Hay ordenadores?
3. ¿Hay comedor?
4. ¿Hay patio?
5. ¿Hay transporte escolar?
6. ¿Hay gimnasio?
7. ¿Hay laboratorio?
8. ¿Hay enfermería?
9. ¿Hay campo de fútbol?
10. ¿Hay piscina?
11. ¿Hay profesores?
12. ¿Hay biblioteca?
13. ¿Hay clases de música?
14. ¿Hay libros?
15. ¿Hay pista de tenis?
16. ¿Llevan uniforme?

Hay ordenadores.
No hay profesores.

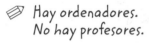

B Formad grupos de tres. Tenéis un minuto
para escribir frases con **hay** comparando vuestro colegio con este. ¿Qué equipo tiene más frases?

En nuestro colegio también hay biblioteca.
En nuestro colegio tampoco hay campo de fútbol.
En nuestro colegio sí hay profesores.

- Podéis utilizar el libro y el diccionario.
- Cada frase es un punto.
- Si en la frase hay algún error, ¡sólo medio punto!
- Incluye las palabras nuevas en tu diccionario personal.

2. UN COLE DIFERENTE

Actualidad 28

UN COLE EN EL CIRCO

En el Circo Internacional Kilian hay personas de muchos países: artistas de Brasil, de Francia, de Italia, de Rusia, de Alemania, de Polonia… Hay payasos, acróbatas, domadores de animales… Pero también hay niños. Y los niños necesitan un colegio.

Y en el circo hay un colegio, un colegio sobre ruedas. Es un camión-escuela con todo lo necesario: vídeo, ordenadores, pizarra, biblioteca… También hay calefacción y aire acondicionado.

¿Cómo funciona la escuela del circo Kilian? Pues muy fácil. Hay una sola clase con todos los niños: Alberto (14 años), Sara (12), Markus (12), Estrella (11), Minerva (8), Paolo (5) y el más pequeño, Adam (4). Y naturalmente, un profesor, Tony.

Viajan por España y estudian las mismas asignaturas que los otros niños españoles.

Las clases son de 9h a 2h. Así, por la tarde, pueden ensayar sus actuaciones en el circo, porque también son artistas. Y por eso no hay gimnasio en su escuela. Markus y Adam, por ejemplo, son hermanos y trabajan con su padre como payasos. Estrella trabaja con los caballos y Minerva es trapecista.

CIRCO KILIAN
Últimas funciones. Días 5, 6 y 7

HAY

SINGULAR
En nuestro cole **hay** comedor.
En nuestro cole **no hay** comedor.

PLURAL
En nuestro cole **hay** diez aulas.
En nuestro cole **no hay** muchos alumnos.

TAMBIÉN, TAMPOCO

sí	→	**también**	no	→	**tampoco**

Sí, **también** hay un comedor.
No, **tampoco** hay pista de tenis.

- ● ¿Hay patio?
- ○ **Sí, sí hay** (patio).
- ● ¿Y biblioteca?
- ○ **Sí, también** (hay biblioteca).
- ● ¿Y comedor?
- ○ **No**, comedor **no hay.**
- ● ¿Y pista de tenis?
- ○ **Tampoco** (hay pista de tenis).

POSESIVOS

MASCULINO	FEMENINO
mi instituto	**mi** escuela
tu instituto	**tu** escuela
su instituto	**su** escuela
nuestro instituto	**nuestra** escuela
vuestro instituto	**vuestra** escuela
su instituto	**su** escuela

A En este texto hay muchas palabras que no comprendes pero… ¿entiendes lo esencial a partir…?

- del título,
- de las imágenes,
- de las palabras que ya conoces…
- de las palabras que conoces de otros idiomas…

Habla con un compañero para ver qué ha entendido cada uno.

B Lee otra vez el texto y escribe en tu cuaderno dos listas:

- las cosas que son iguales en tu colegio.
- las cosas que son diferentes.

✏ *En mi cole no hay payasos.*

ESCUELA

3. MI ASIGNATURA FAVORITA

A Esta es la mochila de un chico español que estudia 1º de ESO (Enseñanza Secundaria Obligatoria). ¿Con cuáles de estas asignaturas relacionas cada imagen?

Ciencias Sociales
Ciencias Naturales
Lengua y Literatura
Expresión Plástica
Educación Física
Inglés
Francés
Matemáticas
Informática
Música

- Ciencias Sociales, cuatro.

B ¿Cuáles de estas asignaturas tenéis vosotros? ¿Cuáles no? Escribe frases como éstas.

✎ Nosotros también tenemos Matemáticas.
Nosotros no tenemos...

C ¿Cuál es la asignatura favorita de la clase? Vamos a hacer una votación. Un compañero va a anotar los votos en la pizarra.

- Mi asignatura favorita es Plástica.

4. SÍLABAS TÓNICAS

A ¿Te has dado cuenta de que en español la sílaba fuerte no está siempre en el mismo lugar? Fíjate en estas tres palabras.

QUÍMICA
LITERATURA
INGLÉS

B El profesor va a leer en voz alta los nombres de las asignaturas. Clasifícalas en tu cuaderno. ¿Son como 1, como 2 o como 3? Luego, añade tú otras palabras que conoces.

1. ¿Como **química**? · · · ■ ▮ ▮

2. ¿Como **literatura**? · · · ■ ▮

3. ¿Como **inglés**? · · · ■

5. A MÍ ME GUSTA, A MÍ NO ME GUSTA...

A Escucha las opiniones de un chico y de una chica sobre su colegio. Copia los temas en tu cuaderno y coloca el icono correspondiente.

Iván

Lisa

😊 Le gusta/n mucho

☹ No le gusta/n

😠 No le gusta/n nada

	A Lisa	A Iván
🕐 1. el horario		😊
🍝 2. la comida		
👨 3. el profesor de Matemáticas		
🎒 4. las excursiones		
🎵 5. las clases de Música		
📚 6. los exámenes		
⚽ 7. el recreo		

B ¿Y a ti? ¿Qué te gusta y qué no te gusta de tu cole? Escribe por lo menos tres frases.

A mí no me gusta/n nada…
No me gusta/n mucho…
Me gusta/n mucho…

---

② la chuleta de gramática

EL ARTÍCULO DETERMINADO

el horario	**la** comida
los exámenes	**las** clases

PREFERENCIAS

Mi deporte **favorito es** el baloncesto.
Mi asignatura **favorita es** Educación Física.

GUSTAR

(A mí)	**me**	
(A ti)	**te**	**gusta** el baloncesto.
(A él, a ella)	**le**	**gustan** las Matemáticas.
(A usted)	**le**	

SINGULAR
Me gusta mucho
No me gusta   la comida.
No me gusta nada

PLURAL
Me gustan mucho
No me gustan   los exámenes.
No me gustan nada

¿Os gustan las Matemáticas?
Sí, mucho
A mí no

SÍLABA TÓNICA

...■□□ Palabras esdrújulas
...■□ Palabras llanas
...■ Palabras agudas

🔆 *Algunas palabras se escriben con tilde (acento gráfico) y otras no:*

Ética	**Quí**mica	Fran**cés**
fácil	ordena**dor**	Natura**le**za

🔆 *Para escribir los acentos hay reglas pero las vamos a aprender poco a poco. La más fácil y sin excepciones: todas las palabras esdrújulas llevan tilde.*

Mate**má**ticas	te**lé**fono	**Mé**xico

6. RELOJES

A Escribe en tu cuaderno estas horas.

01.00h	17.45h
12.30h	21.15h
16.00h	23.05h

B Ahora podéis dibujar carteles con horas importantes para vosotros: la hora del recreo, la hora de vuestra serie favorita de televisión, etc. Los pegaremos en las paredes de la clase para recordarlo.

Las tres y media:
LOS SIMPSON

Las cinco:
SALIDA DEL COLE

La una y cuarto:
COMIDA

7. ¿QUÉ HORA ES EN BUENOS AIRES?

¿Qué hora es ahora en los países donde se habla español? Cada alumno elige un país y pregunta a otro compañero qué hora es en este momento.

● ¿Qué hora es ahora en Buenos Aires?
○ Son las...

8. EL HORARIO DE PATRICIA

A Patricia acaba de empezar el curso y no ha copiado su horario. ¿La ayudas? Primero copia la página de su horario en tu cuaderno, y después escucha a su profesor y complétalo.

	LUNES	MARTES	MIÉRCOLES	JUEVES	VIERNES
9:00–10:00					
10:00–11:00					
R E C R E O					
11:30–12:30/13:00					
C O M I D A					
15:00–16:00					
16:00–17:00					

> Matemáticas, lunes, miércoles y viernes de 10 a 11

> Más despacio, por favor

> ¿Puedes repetir, por favor?

B Ahora con tu compañero compara este horario con el vuestro. Escribid una lista con tres semejanzas y tres diferencias.

¿Cuántas asignaturas tiene Patricia? ¿Y vosotros?
¿Cuántas horas de Educación Física? ¿Y vosotros?
¿Cuántas horas de Expresión Plástica? ¿Y vosotros?
¿Cuántas horas de Matemáticas tiene? ¿Y vosotros?
¿Cuántas horas de recreo tiene por la mañana? ¿Y vosotros?
¿A qué hora tiene la primera clase? ¿Y vosotros?
¿Qué días tiene Sociales? ¿Y vosotros?

- Patricia tiene tres horas de Matemáticas por semana y nosotros...

C ¿Y tú? ¿Qué tienes a las 11h los miércoles? El profesor os va a preguntar vuestro horario en español.

- ¿Qué tenéis a las 11h los miércoles?
- Matemáticas.

2 la chuleta de gramática

LA HORA

- **¿Qué hora es?**
- **Es** la una. / **Son** las dos.

14:15	**Son** las 2 **y cuarto.**
14:30	**Son** las 2 **y media.**
14:10	**Son** las 2 **y diez.**
13:45	**Son** las 2 **menos cuarto.**

- **¿A qué hora** tienes Matemáticas?
- **A las** once.

LAS PARTES DEL DÍA

Las 8h **de la mañana.**
La 1h **del mediodía.**
Las 6h **de la tarde.**
Las 10h **de la noche.**

LOS DÍAS DE LA SEMANA

lunes	viernes	
martes	sábado	} fin de semana
miércoles	domingo	
jueves		

> ¡Adiós a todos y buen fin de semana!

> Igualmente

FRECUENCIA

Los lunes tenemos Sociales.
Tenemos **una hora de** recreo **al día.**
Tenemos **tres horas de** Inglés **por semana.**

¿CUÁNTOS/CUÁNTAS...?

¿Cuántas asignaturas tienes?
¿Cúantos años tienes?

NÚMEROS DEL 20 AL 100

20 **veinte**	21 **veintiuno**	31 treinta **y uno**
30 **treinta**	22 **veintidós**	32 treinta **y dos**
40 **cuarenta**	23 **veintitrés**	33 treinta **y tres**
50 **cincuenta**	24 **veinticuatro**	34 treinta **y cuatro**
60 **sesenta**	25 **veinticinco**	35 treinta **y cinco**
70 **setenta**	26 **veintiséis**	36 treinta **y seis**
80 **ochenta**	27 **veintisiete**	37 treinta **y siete**
90 **noventa**	28 **veintiocho**	38 treinta **y ocho**
100 **cien**	29 **veintinueve**	39 treinta **y nueve**

LA REVISTA LOCA

ÁLEX

Tipo de centro:
colegio privado
Asignaturas preferidas:
Inglés y Francés
Asignaturas odiadas: Matemáticas y Física
Lo mejor: su amigo Pablo
Lo peor: nada
¿Copias en los exámenes?: a veces
Profesor/a favorito/a: el profesor de
Lengua Castellana

C de Cultura

¡Mi escuela, mi escuela!

Homenaje de Gloria Fuertes a los maestros.

Yo voy a una escuela
Muy particular
Cuando llueve se moja
Como las demás.

Yo voy a una escuela
Muy sensacional
Si se estudia, se aprende
Como en las demás.

Yo voy a una escuela
Muy sensacional
Los maestros son guapos
Las maestras son más.

Cada niño en su pecho
Va a hacer un palomar
Donde se encuentre a gusto
El pichón de la Paz.

Yo voy a una escuela
Muy sensacional.

Tres chicos, tres coles

SUSANA

Tipo de centro: colegio privado
(religioso)
Asignaturas preferidas: Plástica
Asignaturas odiadas: Sociales
Lo mejor: las clases de Informática
Lo peor: los exámenes
¿Copias en los exámenes?: no, no me
gusta copiar en los exámenes
Profesor/a favorito/a: el profesor de Alemán

JULIA

Tipo de centro: instituto
Asignaturas preferidas: Educación Física
Asignaturas odiadas: ¡¡¡Las Matemáticas!!!
Lo mejor: los compañeros
Lo peor: las clases
¿Copias en los exámenes?: no, nunca
Profesor/a favorito/a: la profesora
de Ciencias Naturales

Ja, ja, ja, ja...

Profesora: *Jaimito, ¿cuáles son las tres palabras que más utilizan los alumnos?*
Jaimito: *NO LO SÉ.*
Profesora: *¡Muy bien!*

AQUÍ Y ALLÁ

¿Cómo son las notas en los diferentes países?

→ En España: sobresaliente, notable, bien, suficiente, insuficiente. Para exámenes y ejercicios, a veces también se puntúa del 0 al 10 (el 10 es la mejor nota).

→ En Alemania es del 1 al 6 (el 1 es la mejor nota).

→ En Inglaterra muchas veces es del 1 al 7 (el 7 es el máximo).

→ En Francia y en Portugal se puntúa del 1 al 20 (el 20 es la mejor nota).

→ En Italia del 1 al 30 (el 30 es la mejor nota).

EN EL MUNDO

Declaración de los Derechos del Niño, aprobada por la Asamblea General de las Naciones Unidas el 20 de noviembre de 1959

ARTÍCULO 7º.
EL NIÑO TIENE DERECHO A RECIBIR EDUCACIÓN GRATUITA Y OBLIGATORIA POR LO MENOS EN LAS ETAPAS ELEMENTALES.

130 MILLONES DE NIÑOS

NO TIENEN ESCUELA

Y 150 MILLONES VAN A

CLASE MENOS DE 5 AÑOS

SUSANA PÉREZ DE PABLOS, Madrid

En el siglo XXI hay 855 millones de personas analfabetas, uno de cada siete habitantes del planeta. Según el informe presentado por Unicef sobre el Estado Mundial de la Infancia, 280 millones de niños menores de 12 años tienen graves problemas educativos: 130 millones no conocen el colegio y otros 150 millones no van a la escuela más de cinco cursos.

¡QUÉ SEMANA TAN ESTRESANTE!

El DOSSIER de la CLASE

NUESTRO COLEGIO IDEAL

Vamos a crear un folleto publicitario de un colegio al que nos gustaría ir.

TAREA:

A Formáis un grupo de cuatro. Tenéis que decidir:

- El nombre del centro
- ¿Hay exámenes?
- ¿Hay notas?
- ¿Los alumnos llevan uniforme?
- Lenguas que se estudian
- Asignaturas
- Horarios: de clase, del recreo, de las comidas
- Número de alumnos por clase

NECESITAMOS...
- El ordenador (si tenemos...)
- Rotuladores
- Una cartulina de color
- Regla y papel cuadriculado para hacer un plano

B Si queréis, podéis también:

- Inventar un logotipo
- Dibujar unos planos
- Añadir otras informaciones

C El profesor os ayudará a mejorar los textos. Pensad en un diseño, añadid fotos o dibujos y exponedlo para que lo vean los compañeros.

D Vamos a evaluar el trabajo de unos compañeros. Cada grupo recibe el folleto de otro grupo y lo puntúa de 1 (-) a 5 (+) en cada uno de los apartados:

1. Claridad y corrección
2. Contenido
3. Creatividad

COLEGIO GENTE JOVEN

NUESTRA OFERTA:

Taller de Artesanía
Diseño de Webs
Mecánica
Pintura Decorativa
Salud Ambiental y Nutrición
Taller de Teatro
Electrónica
Diseño Asistido por Ordenador
Cine

UNA ENTREVISTA A UN AMIGO

TAREA:

A Cada uno de vosotros tiene que buscar a una persona que vaya a un colegio diferente al vuestro. Por supuesto, la entrevista puede ser en otro idioma, pero la tenéis que traducir al español. Las preguntas son las siguientes:

- ¿Cómo se llama tu colegio?
- ¿Qué tipo de colegio es: público, privado, religioso?
- ¿Qué horario tiene?
- ¿Cuántos alumnos hay por clase?
- ¿Qué lenguas extranjeras hay?
- ¿Qué asignaturas tienes?
- ¿Llevas uniforme?
- Otras preguntas: ....

B El profesor o la profesora os ayuda a mejorar las entrevistas. Las pasáis a limpio. Colgáis una cuerda en la pared de un extremo al otro y con las pinzas sujetáis vuestras hojas. Así todo el mundo las puede leer y cada uno puede decidir cuál es el colegio que le gusta más.

C Formad parejas. Uno de los miembros de la pareja recibirá uno de los folletos de la actividad anterior y se transformará en un alumno del colegio anunciado. El otro miembro de la pareja deberá hacerle preguntas:

1. ¿Cómo se llama tu colegio?
2. ¿Qué horario tiene?
3. ¿Cuántos alumnos hay por clase?
4. ¿Qué lenguas extranjeras hay?
   ...

NECESITAMOS...
- Unas pinzas
- Una cuerda
- Cartulinas pequeñas

③ ¿Cómo eres?

En esta unidad vamos a:

Escribir textos sobre nosotros mismos para buscar amigos en Internet o por correo.

Para ello vamos a aprender:

- a describir el aspecto físico y el carácter
- a hablar de relaciones familiares y personales
- a hablar de gustos y aficiones: **gustar**
- a expresar frecuencia
- el Presente de Indicativo: verbos regulares
- los posesivos (formas del plural)
- **muy**, **bastante**, **un poco**, **nada**, **también**, **tampoco**, **todos los días**, **a veces**, **nunca**

1. UN *CASTING:* SE BUSCAN CHICOS Y CHICAS

A Una productora busca dos nuevos actores para la serie juvenil de televisión, "Chavales". Se han presentado los chicos y las chicas de las fichas. Primero, con un compañero, intenta completar la ficha de Laura y la de Martín con su descripción, a partir de las otras fichas.

B Fíjate en el anuncio. ¿Cuáles son el chico y la chica ideales para la serie?

C ¿Crees que hay alguien en la clase que puede presentarse también a este *casting*? Coméntalo con tus compañeros.

- Robert puede ser el chico. Porque es delgado y lleva el pelo largo...
- Sí, pero no lleva gafas...

...

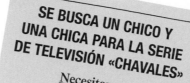

SE BUSCA UN CHICO Y UNA CHICA PARA LA SERIE DE TELEVISIÓN «CHAVALES»

Necesitamos:

- Un chico delgado, pelo largo, castaño o pelirrojo, no muy alto, preferiblemente con gafas, 13 años aproximadamente.
- Una chica morena, pelo largo, ojos oscuros, estatura normal, 12 años aproximadamente.

ALBERTO RUIZ
delgado
pelo corto
moreno
1,70
ojos azules
13 años

SARA FERRERO
rubia
pelo liso y bastante largo
ojos negros
no demasiado alta
ni gorda ni delgada
11 años

LAURA DÍAZ
ni alta ni baja

PABLO ALONSO
pelirrojo
pelo largo
delgado
lleva gafas
ojos oscuros
no muy alto
12 años

JUDITH CALLEJA
pelo castaño
delgada
pelo largo y rizado
ojos verdes
muy alta
13 años

MARTÍN SOLER
muy alto

2. SE BUSCA

A Los hermanos Malasombra son una famosa familia de mafiosos. Escucha la descripción que hace la policía para detener a dos de ellos y toma notas. ¿A cuáles busca?

B Piensa ahora en uno de ellos. Los compañeros te hacen preguntas hasta adivinar en cuál has pensado.

- ¿Lleva gafas?
- No.
- ¿Es rubio?
- Sí.
- Timoteo.
- Sí, ahora me toca a mí...

FULGENCIO

EUSTAQUIO

RIGOBERTO

TIMOTEO

SE BUSCAN

3. ¿CÓMO SOMOS?

Vamos a hacer una estadística en la clase. ¿Cuántos chicos tienen el pelo rubio? ¿Cuántas chicas tienen los ojos azules? ¿Cuántos llevan gafas? ¿Hay algún pelirrojo? ¿Hay alguien muy alto? El profesor o un compañero anota en la pizarra los datos.

- En la clase hay seis chicos rubios.

AMADOR

ANASTASIO

INOCENCIO

MARIANO

CASIMIRO

ROSENDO

DESCRIBIR EL ASPECTO FÍSICO

Tiene el pelo rubio.	**Es** rubio.
el pelo negro.	**Es** moreno.
el pelo castaño.	**Es** castaño.
~~el pelo rojo.~~	**Es** pelirrojo.
	Es calvo.

Tiene el pelo rizado / liso / muy bonito /...
Tiene los ojos azules / verdes / muy grandes /...

 los ojos, **el** pelo, **la** boca...

~~Mis ojos son azules.~~
Tengo **los** ojos azules.
~~Tu pelo es muy bonito.~~
Tienes **el** pelo muy bonito.

Es alt**o**/alt**a**.
Es bajit**o**/bajit**a**.
Es delgad**o**/delgad**a**.
Es gordit**o**/gordit**a**.

No es **ni** alto/a **ni** bajo/a.

Los adjetivos **bajo/a**, **gordo/a** y **feo/a** son demasiado peyorativos; es más conveniente decir **bajito/a**, **gordito/a**, **feíto/a**.

(+) Es **muy** guapo/a.
Es **bastante** guapo/a.
No es **muy** guapo/a.
(−) Es **un poco** feo/a.

	gafas/lentillas
Lleva	bigote/perilla/barba/cola/...
	el pelo largo/corto/teñido/...

Juan tiene el pelo liso, pero ahora lleva el pelo rizado

4. ¿DE QUIÉN HABLAN?

A Alejandra está en casa y escucha esta conversación entre su madre y su hermano mayor, Iván. ¿De quién hablan?

B Luego, Alejandra escribe un correo a una amiga contándole la noticia y cómo es la nueva novia de su hermano. ¿Puedes continuar tú el texto? Trabaja con un compañero.

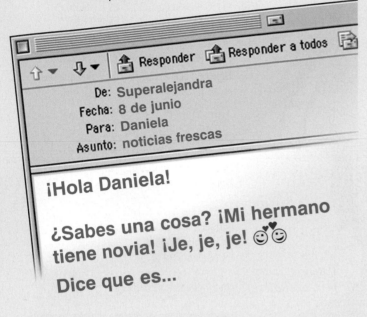

De: Superalejandra
Fecha: 8 de junio
Para: Daniela
Asunto: noticias frescas

¡Hola Daniela!

¿Sabes una cosa? ¡Mi hermano tiene novia! ¡Je, je, je! ☺☺

Dice que es...

C Ahora en parejas (uno/a es la madre y el otro/a el chico/a), preparad por escrito un diálogo parecido y representadlo ante la clase.

5. ¿QUÉ TE GUSTA HACER?

A De estas actividades elige tres que te gustan y tres que no te gustan y anótalas en tu cuaderno.

A mí me gusta mucho ver la televisión, jugar con el ordenador y tocar la guitarra, pero no me gusta nada...

- → HACER LOS DEBERES
- → VER LA TELEVISIÓN
- → LEER
- → ESCRIBIR REDACCIONES
- → HABLAR ESPAÑOL
- → JUGAR AL FÚTBOL

- → JUGAR CON LA CONSOLA
- → NAVEGAR POR INTERNET
- → HACER EXÁMENES
- → TOCAR LA GUITARRA
- → CHATEAR
- → SALIR CON LOS AMIGOS

- → RESOLVER PROBLEMAS DE MATEMÁTICAS
- → IR DE COMPRAS
- → ORDENAR MI HABITACIÓN
- → IR A LA PLAYA
- → HACER TEATRO

B Habla con un compañero. ¿Qué cosas os gustan a los dos?

- • Me gusta tocar la guitarra.
- ○ A mí también.
- • A los dos nos gusta tocar la guitarra.

6. ¿ERES COMO PABLO O COMO MARTÍN?

A ¿Cuáles de las cosas que hacen Pablo y Martín haces tú? ¿Cuándo? Escribe cuatro frases como estas.

● Yo no navego nunca por Internet...

B Copia en tu cuaderno los verbos que aparecen en los textos. ¿Cómo es el Infinitivo? ¿Cómo termina?

✎ NAVEGO - NAVEGAR

PABLO

Navega por Internet todos los días.
Estudia sólo si tiene un examen.
No ordena nunca su habitación.
Toca la guitarra eléctrica todos los días.
No ayuda nunca a sus padres.
No visita nunca a sus abuelos.
A veces llega tarde al cole.

MARTÍN

A veces navega por Internet.
Estudia un poco todos los días.
Ordena su habitación todos los días.
No toca la guitarra.
Ayuda a su padre en el jardín los sábados.
Visita todos los días a sus abuelos.
No llega nunca tarde al cole.

3 la chuleta de gramática

RELACIONES

salir con alguien / un chico / Pedro /...
estar enamorado de un/a chico/a
tener novio/novia

EXPRESAR GUSTOS

me te le nos os les		
me te le	**gusta** +	jugar al tenis *(Infinitivo)* el tenis *(sustantivo sing.)*
nos os les	**gustan** +	los gatos *(sustantivo pl.)*

● **¿Te gusta** la música?
○ Sí, mucho.

A MÍ TAMBIÉN/TAMPOCO

● Me gusta mucho leer.
○ **A mí también.**
■ **A mí no** (me gusta).

● No me gusta el fútbol.
○ **A mí tampoco.**
■ **A mí sí** (me gusta).

AFICIONES

tocar: la flauta / el piano / la guitarra /...
jugar al: fútbol / tenis / monopoly /...
jugar con: el ordenador / la gameboy /...
hacer: judo / karate / danza / teatro /...

 a + el = **al**

EXPRESAR FRECUENCIA

Estudio **todos los días.**
Visito a mis abuelos **los sábados.**
A veces llego tarde a clase.
No ordeno **nunca** mi habitación.
Nunca ordeno mi habitación.

PRESENTE DE INDICATIVO

ESTUDI**AR**	LE**ER**	ESCRIB**IR**
estudi**o**	le**o**	escrib**o**
estudi**as**	le**es**	escrib**es**
estudi**as**	le**e**	escrib**e**
estudi**amos**	le**emos**	escrib**imos**
estudi**áis**	le**éis**	escrib**ís**
estudi**an**	le**en**	escrib**en**

7. FAMILIAS

A ¿A qué imagen corresponde cada texto?

● La familia de Manuel es la...

ÁLVARO:
Vivo con mis padres. No tengo hermanos. Tengo una abuela que se llama Francisca. Es profesora. También tengo un perro.

MARINA:
Yo vivo con mi madre. Tengo un hermano que tiene quince años y que está loco por el fútbol. Tengo también dos abuelas y un abuelo, que es genial.

MANUEL:
Vivo con mis padres y con mis hermanas, Lola, que tiene 10 años, y Natalia, que tiene 8. Tengo dos abuelas. Una abuela, Matilde, tiene setenta años y vive cerca y la otra vive en otra ciudad. No tengo animales en casa. Yo quiero un perro, pero a mi madre no le gustan los animales.

JENNIFER:
Vivo con mi madre y con el marido de mi madre. Tengo dos hermanastros, pero no viven con nosotros. Viven con su madre, pero pasamos las vacaciones juntos. Tengo un abuelo y una abuela. Tengo dos gatos que se llaman "Michi" y "Micha" y también un perro que se llama "Chispa".

B ¿Crees que es importante entender todas las palabras en un texto? ¿Qué haces cuando no entiendes una palabra? Coméntalo en tu lengua con dos compañeros. Después, lo discutís con toda la clase.

    a. pregunto a un compañero o al profesor
    b. imagino el significado
    c. busco en el diccionario

C Siéntate con un compañero que no conozcas bien. Escribe el nombre de tres personas de tu familia en un papel y dáselo. Tu compañero/a tiene que averiguar quién es cada uno.

    ● ¿Sam es tu padre?
    ○ No.
    ● ¿Es tu hermano?
    ○ No...
    ● ¿Es...?

D Ahora habla con un compañero sobre uno de los miembros de su familia. Él o ella eligen sobre quién vais a hablar.

    ● Irene, ¿quién es?
    ○ Mi hermana.
    ● ¿Y cuántos años tiene?
    ○ Siete.
    ● ¿Y cómo es?

E Luego escribe un pequeño texto y léelo a la clase.

    ✎ Paolo tiene una hermana que tiene siete años. Se llama Irene y le gustan mucho los animales. Estudia segundo. Tiene dos hámsters y un gato.

8. TU MEDIA NARANJA

A Aquí tienes una lista de cualidades y defectos. ¿Puedes clasificarlos? Puedes trabajar con un compañero y, si lo necesitas, buscar su significado en el diccionario.

CUALIDADES

DEFECTOS

simpático/a
antipático/a
inteligente
vago/a
callado/a
mentiroso/a
deportista
trabajador/a

responsable
empollón/a
sincero/a
chivato/a
tranquilo/a
tacaño/a
ordenado/a
cabezota

B Ahora escucha este programa de radio en el que llama gente para encontrar novio o novia. ¿Cómo es Jaime? Escríbelo en tu cuaderno.

C Tina también busca novio. ¿Crees que Jaime y Tina pueden ser novios? ¿Por qué? Con un compañero buscad puntos en común y haced frases como:

A los dos les gusta...
Los dos son...

TINA

SU FÍSICO: morena, ojos oscuros, altura media, delgada

SUS CUALIDADES: romántica, deportista, ordenada

SUS DEFECTOS: un poco vaga y un poco mentirosa

SUS AFICIONES: el baloncesto, la televisión, bailar y la música

BUSCA UN CHICO: deportista, moreno, con ojos verdes o azules

D Vuelve a leer los adjetivos anteriores y copia en tu cuaderno seis rasgos (positivos y negativos) de tu carácter. Haz frases como esta.

✏ Soy un poco tímido.

E Ahora escoge tres adjetivos que definan a...

tu mejor amigo/a

alguien de tu familia

tu profesor/a de español

tu cantante favorito

tu mascota (si tienes)

un personaje famoso (un deportista, un actor o una actriz...)

Prepáralo en tu cuaderno y, luego, explícaselo a tus compañeros. Ojo: fíjate en si es femenino o masculino.

✏ Mi madre es simpática y muy trabajadora.

POSESIVOS (FORMAS DEL PLURAL)

mis hermanos/as	**nuestros/as** hermanos/as
tus hermanos/as	**vuestros/as** hermanos/as
sus hermanos/as	**sus** hermanos/as

- ¿Cómo se llaman **sus** padres?
- ¿Los padres de María?
- Sí.
- Juan y Rosa.

LA FAMILIA

padre + madre	=	**padres**
abuelo + abuela	=	**abuelos**
hermano + hermana	=	**hermanos**

☀ *En muchos países de Latinoamérica se dice: **mi papá**, **mi mamá**. En España sólo lo usan los niños.*

el novio **de** mi hermana
el marido **de** mi madre
la hermana **de** Daniel

MUY, BASTANTE, UN POCO, NO... NADA

Soy **muy** responsable.
Soy **bastante** responsable.
Soy **un poco** irresponsable*.
No soy **nada** responsable.

☀ ***Un poco** sólo con adjetivos negativos.*

Soy un poco desordenada

LA REVISTA LOCA

CÓMO ERES SEGÚN EL ZODÍACO

La CANCIÓN de la SEMANA

 ME GUSTA COMO ERES

Me gusta como eres,
tus ojos, tu sonrisa
y tu manera de andar.

Pero a tu hermano,
pero a tu hermano...
No lo puedo aguantar...

Me gusta como eres,
tu boca, tu pelo,
y tu manera de hablar...

Pero a tu hermano,
pero a tu hermano...
No lo puedo aguantar...

Me gusta como eres,
tu risa, tu mirada
y tu manera de vestir...

Pero a tu hermano,
pero a tu hermano...
No lo puedo aguantar...

ARIES
21 marzo – 20 abril
Elemento: fuego
Planeta: Marte
+ Fuertes, valientes
− Egoístas, impacientes
y mentirosos

¿Crees en el zodiaco? ¿Crees que es una tontería? ¿O hay algo de verdad? Así son los nativos de los distintos signos, con algunas de sus cualidades y algunos de sus defectos. ¿Tú eres realmente así?

TAURO
21 abril – 20 mayo
Elemento: tierra
Planeta: Venus
+ Sensibles, trabajadores
− Cabezotas, posesivos

GÉMINIS
21 mayo – 21 junio
Elemento: aire
Planeta: Mercurio
+ Comunicativos, alegres
− Impacientes, nerviosos

CÁNCER
22 junio – 22 julio
Elemento: agua
Planeta: Luna
+ Sensibles, soñadores y románticos
− Egoístas, tímidos y posesivos

PASATIEMPOS

¿QUIÉN ES QUIÉN?

¿Cuántos hermanos tiene Lucas?

→ El hermano de Lucas que juega al tenis se llama Isidro.

→ El novio de la hermana mayor de Lucas se llama Emilio.

→ Lucas tiene una hermana que se llama Laura y que es fotógrafa.

→ La madre de la madre de Lucas se llama Ernestina.

→ La novia de Emilio se llama Claudia.

→ El marido de Ernestina se llama Paco.

→ La hermana pequeña de Lucas se llama Diana.

→ La novia del hermano de Lucas que juega al fútbol se llama Teresa.

→ El marido de la hija de Paco se llama Gonzalo.

→ La madre de Lucas se llama Elvira.

→ El hermano de Lucas que juega al fútbol se llama Tomás.

LEO
23 julio – 22 agosto
Elemento: fuego
Planeta: Sol
➕ Valientes, generosos
➖ Egoístas, orgullosos

VIRGO
23 agosto – 22 septiembre
Elemento: tierra
Planeta: Mercurio
➕ Ordenados, responsables e inteligentes
➖ Nerviosos

LIBRA
23 septiembre – 22 octubre
Elemento: aire
Planeta: Venus
➕ Diplomáticos, románticos
➖ Variables, influenciables

ESCORPIÓN
23 octubre – 21 noviembre
Elemento: agua
Planeta: Plutón
➕ Apasionados, imaginativos
➖ Celosos, tozudos

SAGITARIO
23 noviembre – 22 diciembre
Elemento: fuego
Planeta: Júpiter
➕ Sinceros, cariñosos
➖ Exagerados, irresponsables

CAPRICORNIO
21 diciembre – 19 enero
Elemento: tierra
Planeta: Saturno
➕ Responsables, trabajadores
➖ Pesimistas, no muy imaginativos

ACUARIO
20 enero – 19 febrero
Elemento: aire
Planeta: Urano
➕ Idealistas, originales
➖ Caprichosos, un poco cabezotas

PISCIS
20 febrero – 20 marzo
Elemento: agua
Planeta: Neptuno
➕ Generosos y muy cariñosos
➖ Ingenuos, no muy realistas

C de Cultura

MANOLITO GAFOTAS es un personaje muy famoso en España. Es el protagonista de una colección de libros, de películas y de una serie de televisión.

Manolito, el protagonista

Me llamo Manolito García Moreno, pero en Carabanchel, que es mi barrio, todo el mundo me conoce por Manolito Gafotas. Vivo con mi madre, mi padre, que es camionero, y mi abuelo, que es muy divertido. Tengo un hermano, mundialmente conocido por "el imbécil". Mis mejores amigos son Yihad, "el orejones" y mi ex novia, Susana; a veces también la llamamos "bragas sucias".

Elvira Lindo, la autora

Es de Cádiz, pero vive en Madrid, en una de esas calles donde los vecinos se conocen y la gente charla en las tiendas. Vive con su hijo Miguel, con su marido, el escritor Antonio Muñoz Molina, y con dos perros.

Foto: Jorge Represa Bermejo

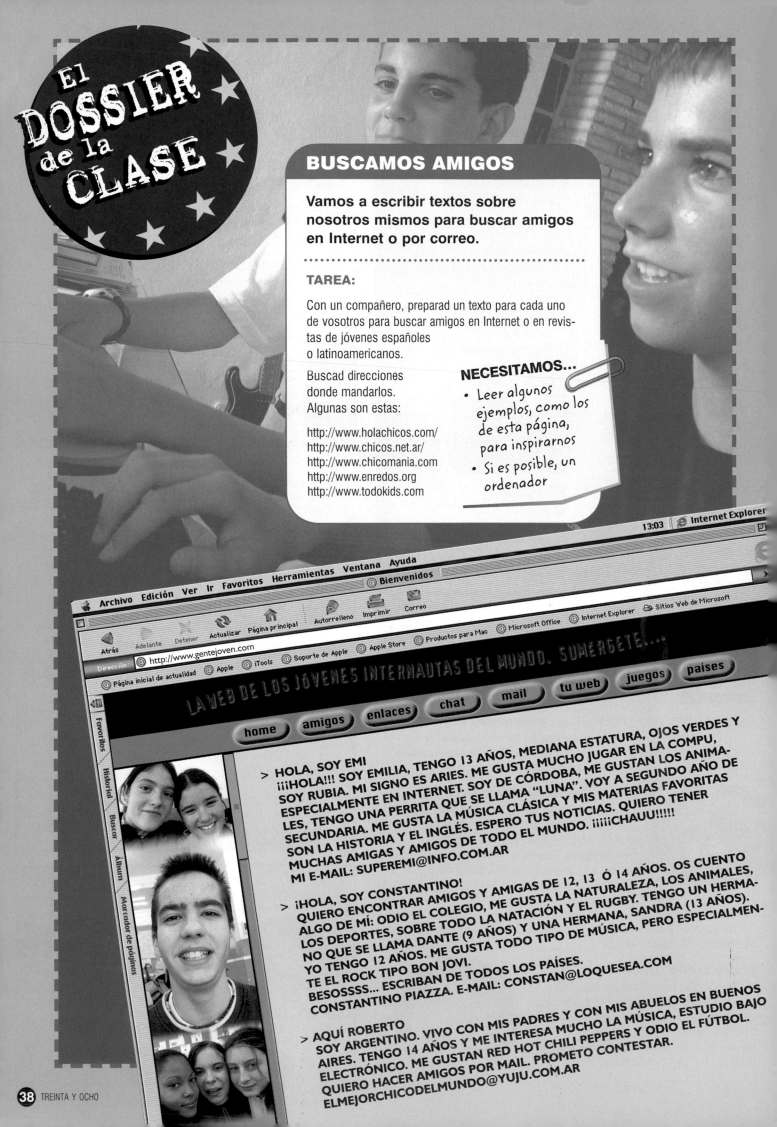

El DOSSIER de la CLASE

BUSCAMOS AMIGOS

Vamos a escribir textos sobre nosotros mismos para buscar amigos en Internet o por correo.

TAREA:

Con un compañero, preparad un texto para cada uno de vosotros para buscar amigos en Internet o en revistas de jóvenes españoles o latinoamericanos.

Buscad direcciones donde mandarlos. Algunas son estas:

http://www.holachicos.com/
http://www.chicos.net.ar/
http://www.chicomania.com
http://www.enredos.org
http://www.todokids.com

NECESITAMOS...

- Leer algunos ejemplos, como los de esta página, para inspirarnos
- Si es posible, un ordenador

13:03 Internet Explorer

Archivo Edición Ver Ir Favoritos Herramientas Ventana Ayuda

@ Bienvenidos

Atrás Adelante Detener Actualizar Página principal Autorrelleno Imprimir Correo

@ Microsoft Office @ Internet Explorer ⊖ Sitios Web de Microsoft

Dirección: @ http://www.gentejoven.com

@ Página inicial de actualidad @ Apple @ iTools @ Soporte de Apple @ Apple Store @ Productos para Mac

LA WEB DE LOS JÓVENES INTERNAUTAS DEL MUNDO. SUMÉRGETE...

home amigos enlaces chat mail tu web juegos países

> HOLA, SOY EMI
¡¡¡HOLA!!! SOY EMILIA, TENGO 13 AÑOS, MEDIANA ESTATURA, OJOS VERDES Y SOY RUBIA. MI SIGNO ES ARIES. ME GUSTA MUCHO JUGAR EN LA COMPU, ESPECIALMENTE EN INTERNET. SOY DE CÓRDOBA, ME GUSTAN LOS ANIMALES, TENGO UNA PERRITA QUE SE LLAMA "LUNA". VOY A SEGUNDO AÑO DE SECUNDARIA. ME GUSTA LA MÚSICA CLÁSICA Y MIS MATERIAS FAVORITAS SON LA HISTORIA Y EL INGLÉS. ESPERO TUS NOTICIAS. ¡¡¡¡¡CHAUU!!!!!
MUCHAS AMIGAS Y AMIGOS DE TODO EL MUNDO. ¡¡¡¡¡CHAUU!!!!!
MI E-MAIL: SUPEREMI@INFO.COM.AR

> ¡HOLA, SOY CONSTANTINO!
QUIERO ENCONTRAR AMIGOS Y AMIGAS DE 12, 13 Ó 14 AÑOS. OS CUENTO ALGO DE MÍ: ODIO EL COLEGIO, ME GUSTA LA NATURALEZA, LOS ANIMALES, LOS DEPORTES, SOBRE TODO LA NATACIÓN Y EL RUGBY. TENGO UN HERMANO QUE SE LLAMA DANTE (9 AÑOS) Y UNA HERMANA, SANDRA (13 AÑOS). YO TENGO 12 AÑOS. ME GUSTA TODO TIPO DE MÚSICA, PERO ESPECIALMENTE EL ROCK TIPO BON JOVI.
BESOSSSS... ESCRIBAN DE TODOS LOS PAÍSES.
CONSTANTINO PIAZZA. E-MAIL: CONSTAN@LOQUESEA.COM

> AQUÍ ROBERTO
SOY ARGENTINO. VIVO CON MIS PADRES Y CON MIS ABUELOS EN BUENOS AIRES. TENGO 14 AÑOS Y ME INTERESA MUCHO LA MÚSICA, ESTUDIO BAJO ELECTRÓNICO. ME GUSTAN RED HOT CHILI PEPPERS Y ODIO EL FÚTBOL. QUIERO HACER AMIGOS POR MAIL. PROMETO CONTESTAR.
ELMEJORCHICODELMUNDO@YUJU.COM.AR

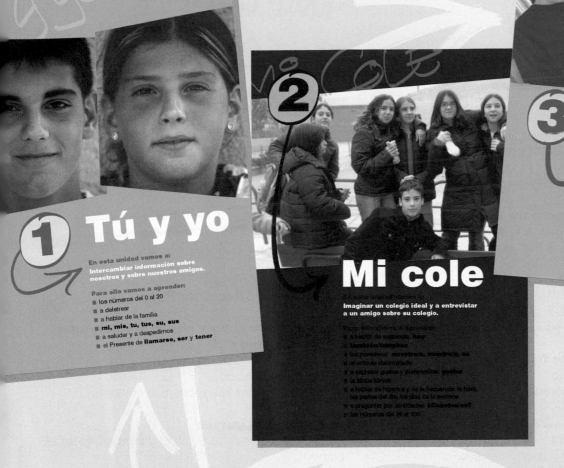

1 Tú y yo

En esta unidad vamos a:
Intercambiar información sobre
nosotros y sobre nuestros amigos.

Para ello vamos a aprender:
- los números del 0 al 20
- a deletrear
- a hablar de la familia
- **mi, mis, tu, tus, su, sus**
- a saludar y a despedirnos
- el Presente de **llamarse, ser** y **tener**

2

Mi cole

Imaginar un colegio ideal y a entrevistar
a un amigo sobre su colegio.

3 ¿Cómo eres?

En esta unidad vamos a:
**Escribir textos sobre nosotros
mismos para buscar amigos
en Internet o por correo.**

Para ello vamos a aprender:
- a describir el aspecto físico y el carácter
- a hablar de relaciones familiares y personales
- a hablar de gustos y aficiones: **gustar**
- a expresar frecuencia
- el Presente de Indicativo: verbos regulares
- los posesivos (formas del plural)
- **muy, bastante, un poco, nada**

Repaso de las unidades 1, 2 y 3

¿Ya sabes...?

1 Ahora ya sabes hacer todas estas cosas, ¿verdad? Con un par de compañeros, busca otras frases para ampliar cada uno de los apartados. Las podéis copiar en cartulinas para decorar la clase y así recordarlas mejor. Tenéis que preparar diez frases.

■ Saludar y despedirte
¡Hola!
¡Adiós!

■ Hablar de ti mismo o de otros
Me llamo Georg.
Tengo 13 años.
Soy alemán.
Hablo francés, inglés bastante bien y un poco de español.
Mi hermano estudia tercero de ESO.

■ Dar y pedir el número de teléfono
Mi número de teléfono es el 238754957.
¿Cuál es tu dirección de correo electrónico?

■ Hablar del colegio
No hay laboratorio.
Hay muchos alumnos.
Mi asignatura favorita es Plástica.

■ Hablar del aspecto físico
Tiene el pelo muy largo.
Soy bastante alta y morena.
Lleva gafas.

■ Hablar del carácter
Soy muy responsable y muy ordenado.
Laura es un poco despistada.

EMPEZAMOS EL COLEGIO A LAS OCHO

■ Preguntar y decir la hora
¿Qué hora es?
Las seis y cuarto.

■ Hablar de horarios
A las diez tengo Educación Física.

■ Hablar de cuándo y con qué frecuencia hacemos algo
Los lunes tengo Educación Física.
El recreo es a las doce.
Tenemos español tres veces a la semana.

■ Expresar tus gustos
A mí me gusta mucho el fútbol y también tocar el piano.
A mí no me gusta nada el fútbol y tampoco me gusta jugar al tenis.
¿Te gustan los animales?

■ Hablar de tu familia y de las relaciones
Mi madre se llama Ana.
El novio de mi hermana se llama Juan.
Fernando está enamorado de Laura.

■ Contar del 1 a 100
¿Cuántas asignaturas tienes?
Siete.

Tengo tres hermanos

Me gusta mucho cantar

Palabras, palabras

2 Copia este cuadro en tu cuaderno. Coloca las palabras en la columna correspondiente y, luego, añade tres en cada grupo.

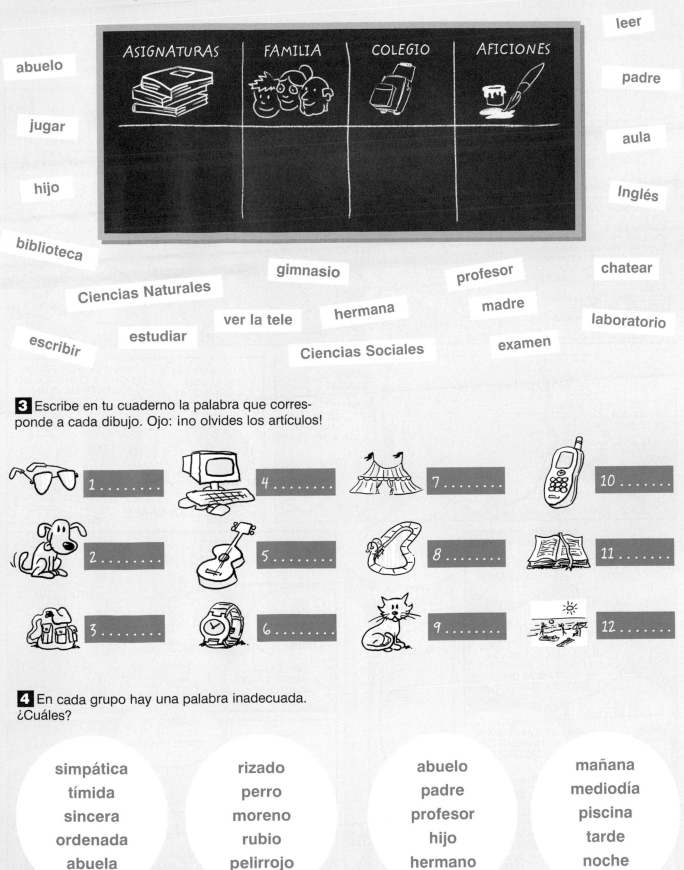

ASIGNATURAS	FAMILIA	COLEGIO	AFICIONES

leer

abuelo

padre

jugar

aula

hijo

Inglés

biblioteca

gimnasio

profesor

chatear

Ciencias Naturales

madre

ver la tele

hermana

laboratorio

escribir

estudiar

Ciencias Sociales

examen

3 Escribe en tu cuaderno la palabra que corresponde a cada dibujo. Ojo: ¡no olvides los artículos!

1 . . . .

4 . . . .

7 . . . .

10 . . . . . .

2 . . . .

5 . . . .

8 . . . .

11 . . . .

3 . . . .

6 . . . .

9 . . . .

12 . . . .

4 En cada grupo hay una palabra inadecuada. ¿Cuáles?

simpática	rizado	abuelo	mañana
tímida	perro	padre	mediodía
sincera	moreno	profesor	piscina
ordenada	rubio	hijo	tarde
abuela	pelirrojo	hermano	noche

¿Entiendes?

5 Responde a las preguntas.

1. ¿Qué es "La peña del garaje"?
2. ¿Quién es Álvaro?
3. ¿Cómo es Álvaro?
4. ¿Quién es "Chuki"?
5. ¿De quién está enamorada Sandra?

LA PEÑA DEL GARAJE

JAZMÍN · SANDRA · RAFA · HUGO · KIKE · ELISA · MIGUEL

UN NUEVO CHICO EN EL BARRIO

ESTOS SON LOS AMIGOS DE KIKE: LA PEÑA DEL GARAJE. VIVEN EN EL MISMO BARRIO, EN LAS AFUERAS DE MADRID. VAN AL MISMO COLE Y TIENEN UNA BANDA DE MÚSICA. TOCAN HIP-HOP Y ENSAYAN EN EL GARAJE DE KIKE.
HOY, COMO ES VIERNES, DESPUÉS DEL COLE, NO TIENEN DEBERES.

MAN

¿QUIÉN ES? ES GUAPO, ¿NO?...

ES UN CHICO NUEVO EN EL BARRIO ES MUY ANTIPÁTICO, MUY ORGULLOSO. YO NO LO AGUANTO...

¿CÓMO SE LLAMA?

SE LLAMA ÁLVARO. VA A MI CLASE.

¿JUGAMOS UN RATO CON LA CONSOLA?

OH, NO, POR FAVOR, CON LA CONSOLA NO. ¿ENTRAMOS EN INTERNET?

VAAAALE.

¿SABÉIS? TENGO UN AMIGO EN EL CHAT. ¡ES UN CHICO FANTÁSTICO!

¿CÓMO SE LLAMA?

BUENO SU NICK ES "CHUKI". VIVE EN MADRID, EN NUESTRO BARRIO Y TIENE 13 AÑOS. AH, Y TOCA LA LA BATERÍA.... NOSOTROS NECESITAMOS UN BATERÍA, ¿NO?

¿TIENES UNA FOTO?

NO. ¡Y TAMPOCO SU NÚMERO DE TELÉFONO!

TAK! TAK! TAK!

CHUKI, CHUKI...

TAK! TAK! TAK!

UN DÍA DESPUÉS...

HE CONOCIDO A UNA CHICA EN EL CHAT, ¿SABES?

SE LLAMA SANDRA Y VIVE AQUÍ CERCA.

¿CÓMO TE LLAMAS TÚ EN EL CHAT?

"CHUKI" ¿POR QUÉ?

6 Lee el texto y completa la tabla. ¡Ojo! En el texto no están todas las informaciones.

Mafalda y su familia

Mafalda es una niña argentina que vive con sus padres y su hermanito Guille en Buenos Aires. Tiene también una abuela que le escribe postales y una mascota que se llama "Burocracia".

Mafalda también tiene muchos amigos con los que juega en la calle o en el parque: Miguelito, Manolito, Susanita, Felipe y Libertad.

La madre de Mafalda se llama Raquel y es ama de casa. Le gusta mucho leer. Tiene 36 años, es morena y lleva gafas. El padre se llama Ángel. Tiene 39 años y es agente de seguros. Le gustan mucho las plantas. Es alto y rubio. Mafalda no es una hija fácil porque hace muchas preguntas. Sus padres son muy nerviosos y siempre toman Nervocalm.

Mafalda es morena y un poco gordita. Tiene seis años y ya va al colegio. Su cumpleaños es el 15 de marzo. Es una niña muy inteligente, simpática y sobre todo muy crítica y curiosa. En casa de Mafalda se ve mucho la televisión.

Le gusta ver las noticias porque está muy interesada en política. También le gusta escuchar la radio. Su grupo de música favorito son los Beatles. Jugar al ajedrez y leer son otras de sus dos aficiones preferidas. A Mafalda no le gusta nada la sopa y la injusticia en el mundo.

Su hermano menor, Guille, tiene dos años. Es gordito y muy gracioso. Hace siempre muchas preguntas a Mafalda. A él sí le gusta la sopa. Llama a su hermana "Mafaddita".

	ELLA	SU HERMANO	SU PADRE	SU MADRE
Nombre:				
Edad:				
Aspecto físico:				
Carácter:				
Gustos:				

7 Copia este cuadro en tu cuaderno. Escucha una entrevista con el nuevo actor de la serie "Después del cole" y complétalo con los datos que entiendas:

EL NUEVO ACTOR DE LA SERIE

Nombre:
Nacionalidad:
Domicilio:
Número de hermanos:
Descripción física:
Descripción de carácter:

Apellido:
Edad:
Aficiones:
Animales:

¿Me lo explicas?

8 Contesta a uno de estos anuncios de un foro. Tienes que presentarte y preguntar cosas a la persona que escribes.

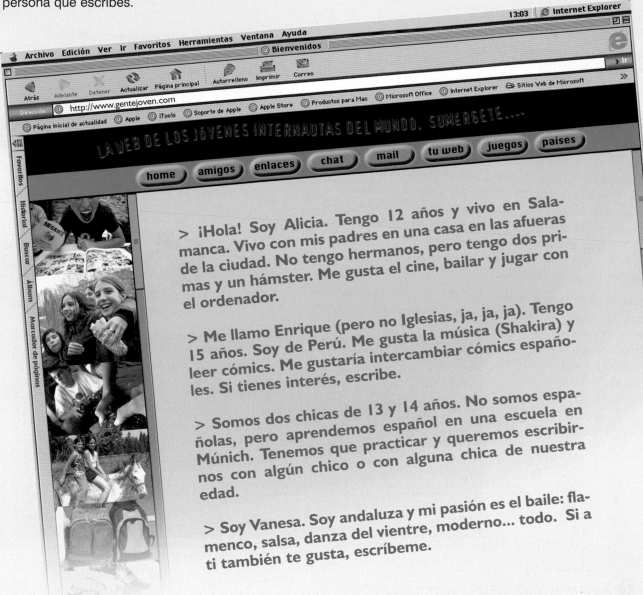

> ¡Hola! Soy Alicia. Tengo 12 años y vivo en Salamanca. Vivo con mis padres en una casa en las afueras de la ciudad. No tengo hermanos, pero tengo dos primas y un hámster. Me gusta el cine, bailar y jugar con el ordenador.

> Me llamo Enrique (pero no Iglesias, ja, ja, ja). Tengo 15 años. Soy de Perú. Me gusta la música (Shakira) y leer cómics. Me gustaría intercambiar cómics españoles. Si tienes interés, escribe.

> Somos dos chicas de 13 y 14 años. No somos españolas, pero aprendemos español en una escuela en Múnich. Tenemos que practicar y queremos escribirnos con algún chico o con alguna chica de nuestra edad.

> Soy Vanesa. Soy andaluza y mi pasión es el baile: flamenco, salsa, danza del vientre, moderno... todo. Si a ti también te gusta, escríbeme.

9 Vamos a ver cómo hablas en español. Aquí tienes dos opciones. Elige una.

A. Con un compañero piensa en un personaje famoso (real o inventado) y prepara una entrevista. Podéis representarla delante de la clase o grabarla para añadir la cinta a vuestro Portfolio.

B. Una pequeña presentación sobre uno de estos temas. Tienes que hablar un minuto como mínimo. Puedes prepararlo antes. También puedes grabarlo y guardarlo.

- – tu colegio
- – tu colegio ideal
- – tu familia
- – un amigo
- – tú mismo

El test

10 Contesta el test y luego comprueba los resultados con un compañero.

1. ● Yo _____ argentino, ¿y tú?
   ○ Yo suizo.

   a. tengo
   b. soy
   c. es

2. ● ¿ _____ correo electrónico?
   ○ Sí, juanpe@mediacom.es

   a. Tienes
   b. Hay
   c. Sabes

3. ● Vosotros _____ árabe, ¿verdad?
   ○ Sí, nuestra madre es libanesa.

   a. hablamos
   b. habláis
   c. hablan

4. Tu novia es muy _____, ¿verdad?

   a. alta y delgada
   b. alto y delgado
   c. alto y delgada

5. ● ¿Hay laboratorio en tu colegio?
   ○ Sí, _____

   a. es muy grande.
   b. hay una.
   c. es.

6. ● ¿Cómo es el profesor de _____ ?
   ○ Muy simpático.

   a. Technología
   b. Tecnología
   c. Tecnologia

7. ● ¿A qué hora tienes Matemáticas?
   ○ _____

   a. Son las once.
   b. A las once.
   c. Las once.

8. Marta y yo _____ inglés en el colegio.

   a. estudian
   b. estudiáis
   c. estudiamos

9. El padre de mi padre es mi _____

   a. hijo.
   b. hermano.
   c. abuelo.

10. Y el padre de mi hermano es mi _____

    a. hermano.
    b. padre.
    c. hijo.

11. Luisa está enamorada _____ Pablo.

    a. con
    b. de
    c. en

12. ● A mí no me gusta nada la Física.
    ○ _____

    a. A mí no me gusta.
    b. A mí también.
    c. A mí tampoco.

13. ¿Iván? No es nada generoso. Es muy _____

    a. sincero.
    b. trabajador.
    c. tacaño.

14. ¿Cuántos años _____ tú, Raquel?

    a. hay
    b. tienes
    c. eres

15. A mi hermana _____ gusta jugar al tenis.

    a. ella
    b. le
    c. lo

16. ● ¿ _____ qué color tiene los ojos Fede?
    ○ Verdes.

    a. De
    b. En
    c. Con

17. Mi hermano tiene (15) _____ años.

    a. quince
    b. cincuenta
    c. cinco

18. ● ¿Qué hora es?
    ○ _____

    a. Por la mañana.
    b. Las dos.
    c. A las dos de la mañana.

19. ● ¿ _____ navegar por Internet?
    ○ Sí, bastante pero prefiero hacer deporte.

    a. Te gusta
    b. Me gustas
    c. Le gusto

20. ● ¿Cuánto son veinte y trece?
    ○ _____

    a. Veintitrés.
    b. Treinta y tres.
    c. Cuarenta y tres.

C de cultura

11 ¿Te acuerdas? Puedes encontrar la información en el libro, especialmente en los textos de "La Revista Loca".

1. Escribe cuatro nombres de personajes famosos que hablan español.
2. ¿Cómo son las notas de los colegios o institutos en España?
3. ¿Quién es Manolito Gafotas? ¿Y Elvira Lindo?
4. ¿Cuántos apellidos tienen los españoles?
5. Escribe ocho nombres de países donde se habla español.

Tu agenda de español

A Cuenta los puntos (de 0 a 100) que te ha dado tu profesor en las actividades de repaso y anótalo en una parte de tu cuaderno: será tu agenda de español.

B Ya hemos trabajado con tres temas. Hojea un poco las lecciones que hemos hecho hasta ahora y anota en tu cuaderno:

– una palabra que te gusta
– una palabra difícil de pronunciar
– una palabra difícil de recordar
– un ejercicio que no te ha gustado
– un ejercicio que te ha gustado mucho

C ¿Y qué tal te va…?

… la pronunciación?
¿Y qué tal la gramática?
¿Puedes recordar las palabras?
¿Es difícil escribir?
¿Entiendes los textos que lees?
¿Hablas suficientemente en español en clase? ¿Con los compañeros? ¿Y con el profe?

D ¿Qué puedes hacer para mejorar? Piénsalo un poco y anota, en tu lengua, algunas ideas. Después lo hablas con tus compañeros y con tu profesor.

Muy bien
Bien
No muy bien
Mal

4

¡Felicidades!

En esta unidad vamos a:

Aprender a desenvolvernos en tiendas y a decidir qué les regalamos a los compañeros para sus cumpleaños.

Para ello vamos a aprender:

- a preguntar el precio
- a pedir en un bar o en un restaurante
- a hablar de fechas
- el verbo **estar**
- la preposición **para**
- los artículos: **un/una/unos/unas**, **el/la/los/las**
- los demostrativos **este/esta/estos/estas/esto**
- los números a partir del 100
- los colores

1. EN EL CENTRO COMERCIAL «HIPERGUAY»

A Es Navidad. Pamela y Elsa quieren comprar una serie de regalos. ¿En qué tienda pueden encontrarlos? A veces hay varias posibilidades.

● *La camiseta, en la tienda de ropa.*

unas gafas de sol

un videojuego

un libro

una agenda

un CD

unos cómics

una camiseta

un helado de chocolate

una raqueta de ping-pong

unos pendientes

una bolsa de "chuches"

un bolígrafo

TEXASMANÍA

M.I.S. MÚSICA-IMAGEN-SONIDO

Fresa y Chocolate

B ¿Dónde están Pamela y Elsa? Escucha estas cuatro conversaciones. No es necesario que lo entiendas todo. Si te fijas en las palabras que ya conoces, seguro que imaginas en qué tienda están.

● *Están en la perfumería.*

	conversación			
	1	2	3	4
en la tienda de ropa				
en la hamburguesería				
en la perfumería				
en la tienda de deportes				
en la tienda de regalos				
en la tienda de música e informática				
en la librería-papelería				
en la heladería				
en la tienda de chuches				

Perfumería JAZMÍN

Cervantes
LIBRERÍA · PAPELERÍA

ÑAM ÑAM

REGALOS **Susana**

Chuchelandia

DEP RTES ALONSO

C ¿A qué tiendas te gusta ir a ti?

- *A mí me gusta ir a las tiendas de música y a las de ropa.*

D Piensa en un buen regalo para tres personas de tu familia o amigos y anótalos en tu cuaderno. Si no conoces el nombre de lo que quieres regalar, puedes usar el diccionario.

Para mi madre, un perfume. Y para mi hermana...

VERBO ESTAR

estoy
estás
está
estamos
estáis
están

Mi madre **está** en casa.
Pamela y Elsa **están** en la tienda de deportes.

¿Dónde estás?

En el autobús. ¿Y tú?

PARA

para Pamela
mí
ti
usted
él/ella
nosotros/nosotras
vosotros/vosotras
ustedes
ellos/ellas

- ¿**Para quién** es este libro?
- **Para** ti.

LOS ARTÍCULOS

INDETERMINADOS

un bolígrafo   **una** camiseta
unos helados   **unas** tiendas

En esta tienda hay **unas camisetas** muy baratas.

DETERMINADOS

el bolígrafo de Elsa   **la** camiseta negra
los helados de fresa   **las** tiendas de ropa

Me gustan **las camisetas** grandes.

A veces no se usan artículos.

¿Tienen **zumo de piña**?
Mira, en esta tienda hay **camisetas**.

2. VAMOS A TOMAR ALGO

A Andrés y Felipe van a tomar algo. Mira las viñetas y relaciónalas con las conversaciones.

1
- ● Por favor, ¿dónde están los servicios?
- ○ Al fondo, a la izquierda.
- ● Gracias...

2
- ● Tengo hambre.
- ■ Yo también.
- ● ¿Entramos aquí?
- ■ ¡Vale, vamos!

3
- ● ¿Cuánto es?
- ○ A ver... un bocadillo de queso y un mixto...
- ● Sí y un agua y una naranjada.
- ○ 11 euros.
- ● Tome.
- ○ Gracias.
- ● ¡Adiós!
- ○ ¡Adiós!

4
- ○ ¡Hola!, ¿qué os pongo?
- ● Yo, un bocadillo de queso.
- ■ ¿Tienen bocadillos calientes?
- ○ Sí.
- ■ Pues para mí, uno de jamón y queso.
- ○ Un mixto... ¿Y para beber?
- ● Un agua sin gas.
- ■ Yo, una naranjada.

B Ahora escucha las conversaciones para comprobar que tienes el orden correcto.

C Con dos compañeros preparad una conversación parecida, usando el vocabulario de estos menús, y representadla en clase. Dos serán los clientes y el tercero, el/la camarero/a.

- ● ¡Hola!, ¿qué os pongo?

BOCADILLOS FRÍOS — 3€
de salchichón
de jamón serrano
de jamón York
de queso

BOCADILLOS CALIENTES — 4€
de tortilla de patatas
de hamburguesa
de salchicha
mixto

PIZZAS — 6€
de atún
napolitana
de queso y carne
cuatro estaciones

PLATOS DEL DÍA — 9€
Hamburguesa con patatas fritas
Pollo con ensalada
Espaguetis con tomate
Escalopa milanesa

BEBIDAS — 2€
Cola
Naranjada
Limonada
Agua con gas
Agua sin gas
Batido de chocolate

3. LA FIESTA DE CUMPLEAÑOS DE ANA

A Ana celebra su cumpleaños y hace una fiesta en su casa con doce compañeros del cole. Lee la lista de las cosas que necesita. ¿Cuál es su compra?

3 bolsas de patatas
2 bolsas de palomitas
1 bote de paté
1 botella de zumo de manzana
1 botella de zumo de naranja
4 pizzas
3 paquetes de galletas de chocolate
2 paquetes de pan de molde
3 botellas de cola

B Nosotros vamos a hacer también una fiesta de la clase. ¿Qué cosas compramos? Prepara una lista con un compañero. Si os falta vocabulario, consultad el diccionario o preguntad a vuestro profesor. Después, anotadlo en vuestro diccionario personal.

C ¿Cuántos somos? Calculad las cantidades que necesitamos y cuánto dinero vamos a gastar aproximadamente.

................bolsas de .... : .... euros
................paquetes de .... : .... euros
................botellas de .... : .... euros
....

4 la **chuleta** de **gramática**

¿DÓNDE...?

Perdona/e, ¿**dónde están** los servicios?
¿Los servicios, **por favor**?

A la derecha.
A la izquierda.
Al fondo.
Por allí.

PARA PAGAR

● **¿Cuánto es?**
○ Trece euros.
● **Aquí tiene.**

PEDIR

¿Tienen bocadillos calientes?
Yo quiero una ración de patatas fritas.
Para mí una pizza de queso.

DE

un bocadillo **de** queso
una pizza **de** atún
una bolsa **de** patatas
una botella **de** agua
un paquete **de** galletas

4. ¿QUÉ ME LLEVO?

A Ana está preparando su maleta porque se va de vacaciones. En pequeños grupos, tenéis cinco minutos para buscar los nombres de cada prenda. Fíjate en palabras que se parecen a alguna de tu lengua u otros idiomas, o consulta el diccionario. Gana el grupo que acierte más.

vaqueros
camiseta
sudadera
vestido
falda
gorra
zapatillas de deporte
botas
jersey
anorak
mochila
guantes
pantalones de esquí
bufanda
bañador
pantalones cortos
cazadora

- ● Esto es un anorak, ¿no?
- ○ Sí, claro.
- ● ¿Y cómo se dice "jeans" en español?

B Mira la lista durante treinta segundos y, luego, cierra el libro. ¿De cuántas palabras te acuerdas? Trata de anotarlas en tu cuaderno. Entre todos, en voz alta, reconstruiremos la lista.

C Ahora decidid en pequeños grupos lo que se lleva Ana...

- si se va a esquiar a los Alpes en enero.
- si se va a una fiesta de cumpleaños en abril.
- si se va a Cuba a un hotel en julio.

- ● Si se va a los Alpes, el anorak y...

D Tenéis medio minuto para mirar la ropa de los compañeros. Luego, cerrad los ojos y el profesor os hará preguntas:

- ● ¿De qué color es la camiseta de Robert?
- ○ Amarilla.

5. DE COLORES

¿De qué color te imaginas...?

el mes de octubre
los sábados
la escuela
tu país
España
los lunes
las vacaciones
a tu mejor amigo
la Navidad

¡Atención con los plurales y con los femeninos!

- ● El mes de octubre, marrón.

6. UN CONCURSO DE CIFRAS

A ¿Qué tal vas de cifras? Lee las preguntas del test y anota en tu cuaderno las respuestas que crees correctas.

1 Un gramo de veneno de una cobra puede matar a...
a) Cien personas — 100
b) Mil personas — 1000
c) Diez mil personas — 10 000

2 El puente más largo del mundo es un puente sobre el mar, en China y tiene...
a) Trescientos sesenta metros — 360
b) Tres mil setecientos metros — 3700
b) Treinta y seis mil metros — 36 000

3 La capital de México tiene...
a) Doscientos mil habitantes — 200 000
b) Dos millones de habitantes — 2 000 000
c) Veinte millones de habitantes — 20 000 000

4 En el mundo hablan español...
a) Aproximadamente cuatro millones de personas — 4 000 000
b) Aproximadamente cuarenta millones de personas — 40 000 000
c) Aproximadamente cuatrocientos millones de personas — 400 000 000

5 Una sola pila puede contaminar...
a) Ciento setenta y cinco litros de agua — 175
b) Ciento setenta y cinco mil litros de agua — 175 000
c) Un millón setecientos cincuenta mil litros de agua — 1 750 000

B Ahora escucha este concurso de radio. El locutor da las soluciones.

C ¿Te has fijado en cómo se forman los numerales en español? Observando los ejemplos anteriores, con un compañero, tratad de escribir estas cifras.

```
4 .....................     44444 .........................
44 ...................      444444 ........................
444 ..................      4444444 .......................
4444 .................      44444444 ......................
```

D Vamos a adivinar números. Piensa en uno del 1 al 1000 y escríbelo en español. Tus compañeros/as tienen que averiguarlo.

- Trescientos.
- No, más alto.
- Setecientos.
- No, más bajo.
- ...

CON UN SEIS Y UN CUATRO, AQUÍ TIENES TU RETRATO

NÚMEROS

100	**cien**
200	**doscientos/as**
300	**trescientos/as**
400	**cuatrocientos/as**
500	**quinientos/as**
600	**seiscientos/as**
700	**setecientos/as**
800	**ochocientos/as**
900	**novecientos/as**

101	**ciento** un/uno/una
102	**ciento** dos
110	**ciento** diez
120	**ciento** veinte
...	

1000	**mil**
2000	dos **mil**
10 000	diez **mil**
100 000	cien **mil**
200 000	doscientos/as **mil**
...	

un **millón**
diez **millones**
...

15 714359 quince **millones** setecientos catorce **mil** trescientos cincuenta **y** nueve

LOS COLORES

	singular	plural
masculino	■ negro	■ negros
femenino	■ negra	■ negras

o/a/os/as: ■ negro, □ blanco, ■ rojo, ■ amarillo

	singular	plural
masculino	■ gris	■ grises
femenino		

*Una sola forma para el masculino y el femenino, y el plural con **es**:* ■ gris, ■ marrón, ■ azul

	singular	plural
masculino	■ rosa	■ rosas
femenino		

*Una sola forma para el masculino y el femenino, y el plural con **s**:* ■ verde, ■ rosa, ■ naranja,

7. NOS VAMOS DE COMPRAS

A Tienes 200 euros para comprar ropa. ¿Cuáles de estas cosas te compras?

B ¿Cuánto cuesta todo esto si hay rebajas y todo tiene un 50% de descuento?

- *Yo me compro los vaqueros, las gafas de sol y la gorra.*
- *Yo, el anorak. Es muy bonito.*

- *Los pantalones cuestan ahora 50 euros.*

TIENDA JOVEN

79 €
39 €
35 €
12 €
25 €
59 €
29 €
42 €
14 €
23 €
29 €
15 €
115 €
29 €
19 €
79 €
6 €
55 €
85 €

8. COMPRAS ESPECIALES

A Escucha las conversaciones y, después, relaciona los dibujos y los diálogos.

B En estas conversaciones que has oído se utilizan **este**, **esta**, **estos**, **estas**. Sirven para señalar o para identificar un objeto. Busca otros ejemplos, en las páginas anteriores o entre los objetos de la clase, para completar el cuadro.

Este...	Este...	Este...	Este...
Esta...	Esta...	Esta...	Esta...
Estos...	Estos...	Estos...	Estos...
Estas...	Estas...	Estas...	Estas...

9. REGALOS

Estos son los regalos de Navidad para los amigos y la familia de Alba. ¿Para quién es cada uno? Ponte de acuerdo con un compañero. Pregunta a tu profesor cómo se llaman estas cosas.

- La muñeca es para Susi, creo.
- ○ ¿Y esto?
- Para el padre, ¿no?

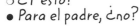

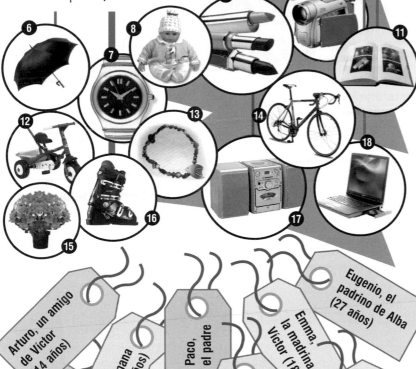

Arturo, un amigo de Víctor (14 años)

Graciela, una amiga de Alba (13 años)

Susi, la hermana pequeña (3 años)

María, la madre

Paco, el padre

Dolores, la abuela

Emma, la madrina de Víctor (18 años)

Eugenio, el padrino de Alba (27 años)

Vicente, el abuelo

PREGUNTAR EL PRECIO

- ● ¿**Cuánto cuesta** la camiseta?
- ○ Veinticinco euros.

- ● ¿**Cuánto cuestan** los pantalones?
- ○ Treinta y cinco euros.

ESTE, ESTA, ESTOS, ESTAS

¿Cuánto cuesta **este** reloj?
¿Tienen **esta** camiseta en color azul?
Me gustan **estos** pantalones.
Estas gafas son muy bonitas.

ESTO

- ● ¿Para quién es **esto**?
- ○ Para el abuelo.

¿Qué es esto?

Un regalo para mi madre

LOS MESES DEL AÑO

enero	julio
febrero	agosto
marzo	septiembre
abril	octubre
mayo	noviembre
junio	diciembre

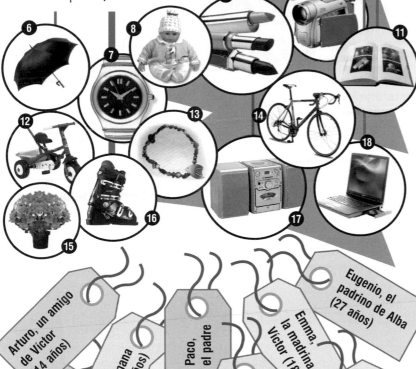

LA REVISTA LOCA

TEST

¿Te come el coco la moda?

1 ¿Qué ropa te gusta?
- a. La ropa moderna.
- b. La ropa cómoda.
- c. No lo sabes.

2 Siempre compras...
- a. ropa de marca.
- b. ropa bonita, pero barata.
- c. La que le gusta a tus padres.

3 Di tres marcas de perfume.

4 ¿Qué colores se llevan este año?
- a. El negro y el rojo, sobre todo.
- b. Los colores claros.
- c. No tienes ni idea.

5 Para vestirte necesitas...
- a. un minuto.
- b. tres minutos.
- c. una hora.

6 Te vas de vacaciones. En tu maleta hay...
- a. unos pantalones.
- b. tres pantalones.
- c. más de cinco pantalones.

7 ¿Sabes qué marca de vaqueros lleva Johnny Depp?

8 ¿Conoces el eslogan de alguna marca de moda?

C de Cultura

EL CUADRO FALSO

Seguramente el cuadro más famoso de Diego de Velázquez es *Las Meninas*. Está en Madrid, en el Museo del Prado. En el cuadro aparece en primer plano la infanta Margarita con dos damas de la corte (meninas), su perro y dos enanos. También se ve al pintor y, al fondo, en el espejo, a los reyes: Felipe IV y Mariana de Austria. De estos dos, uno es una falsificación. ¿Cuál? ¿Por qué?

Pasatiempos matemáticos

En un autobús hay quince personas. En la primera parada suben diez y bajan cuatro. El autobús sigue. En la siguiente parada suben siete y bajan doce. En la siguiente suben tres y bajan dos. En la siguiente suben once y bajan ocho. En la última suben seis y bajan nueve.

Pregunta: ¿Cuántas paradas hay?

Hay tres personas que quieren cruzar un río, dos pesan 50 kilos cada una y la otra pesa 100 kilos. Hay sólo un bote para cruzar y puede llevar un máximo de 100 kilos.

Pregunta: ¿Cómo pueden las tres personas cruzar el río sin que se hunda el bote?

Solución:

- Los dos que pesan 50 kilos cruzan, se baja uno y el otro cruza nuevamente. Luego, se monta el de 100 kilos y cruza. Finalmente, se monta el de 50 kilos a buscar al otro de su igual peso y cruzan juntos.

- Cinco paradas.

EL VALOR SIMBÓLICO DE LOS COLORES

Si te gusta el verde, eres optimista.

Si te gusta el negro, eres pesimista.

Si te gusta el rosa, eres romántico.

Si te gusta el rojo, eres apasionado.

Si te gusta el amarillo, estás un poco loco.

Si te gusta el beige, eres muy formal.

Si te gusta el azul, eres un poco serio.

¡QUÉ ORIGINAL!

¿CUÁNTO VALE ESTA?

VEINTITRÉS EUROS.

ESTÁ BIEN. NO ES DEMASIADO CARA.

¿TIENE ESTA PERO UN POCO MÁS GRANDE?

SÍ, CLARO. ¿LA XL O LA XXL?

PERDONE, ¿DÓNDE HAY CAMISETAS?

EN ESTA PLANTA, AHÍ AL FONDO.

SÍ, ME LLEVO ESTA. ME GUSTA MUCHO, ES MUY ORIGINAL, ¿NO?

PERFECTA.

MAN03

¡¡TÚ TAMBIÉN!!

El DOSSIER de la CLASE

Sara, un discman

enero	febrero	marzo
1 2 3 4	1	1 2 3 4 5 6 7
5 6 7 8 9 10 11	2 3 4 5 6 7 8	8 9 10 11 12 13 14
12 13 14 15 16 17 18	9 10 11 12 13 14 15	15 16 17 18 19 20 21
19 20 21 22 23 24 25	16 17 18 19 20 21 22	22 23 24 25 26 27 28
26 27 28 29 30 31	23/24 25 26 27 28 29	29 30 31

abril	mayo	junio
1 2 3 4	1 2	1 2 3 4 5 6
5 6 7 8 9 10 11	3 4 5 6 7 8 9	7 8 9 10 11 12 13
12 13 14 15 16 17 18	10 11 12 13 14 15 16	14 15 16 17 18 19 20
19 20 21 22 23 24 25	17 18 19 20 21 22 23	21 22 23 24 25 26 27
26 27 28 29 30	24/31 25 26 27 28 29 30	28 29 30

julio	agosto	septiembre
1 2 3 4	1	1 2 3 4 5
5 6 7 8 9 10 11	2 3 4 5 6 7 8	6 7 8 9 10 11 12
12 13 14 15 16 17 18	9 10 11 12 13 14 15	13 14 15 16 17 18 19
19 20 21 22 23 24 25	16 17 18 19 20 21 22	20 21 22 23 24 25 26
26 27 28 29 30 31	23/30 24/31 25 26 27 28 29	27 28 29 30

octubre	noviembre	diciembre
1 2 3	1 2 3 4 5 6 7	1 2 3 4 5
4 5 6 7 8 9 10	8 9 10 11 12 13 14	6 7 8 9 10 11 12
11 12 13 14 15 16 17	15 16 17 18 19 20 21	13 14 15 16 17 18 19
18 19 20 21 22 23 24	22 23 24 25 26 27 28	20 21 22 23 24 25 26
25 26 27 28 29 30 31	29 30	27 28 29 30 31

¡FELIZ CUMPLEAÑOS!

Vamos a hacer el calendario de los cumpleaños de la clase.

NECESITAMOS:

- Una cartulina para diseñar nuestro calendario
- Revistas viejas para recortar y decorar el calendario
- Rotuladores de colores

TAREA

1 Vamos a hacer el calendario de los cumpleaños de la clase en grupos de tres: hay que preguntarle a cada compañero **"¿Cuándo es tu cumpleaños?"** y anotarlo en el calendario. Os distribuís el trabajo.

- ¿Cuándo es tu cumpleaños?
- El 24 de febrero.

2 El profesor va a dar a cada grupo el nombre de tres compañeros para los que hay que elegir un regalo. Primero pensáis en los regalos. Luego les vais a preparar tres preguntas para estar seguros de que es un regalo adecuado.

- ¿Tienes...?
- ¿Te gusta/n...?
- ¿Practicas algún deporte?
- ...

3 Ahora vais a completar el calendario con los regalos y a presentar a la clase vuestra decisión.

- A Sara le regalamos un discman porque le gusta mucho la música y porque no tiene.
- Y también un CD de Shakira...

DE COMPRAS

Vamos a imaginar que tenemos que comprar uno de los regalos.

TAREA

1 Vamos a preparar una conversación en la tienda. Dos alumnos hacen de clientes y uno de vendedor. Tenéis que...

NECESITAMOS...
- Si es posible, una grabadora o una cámara

- preguntar si tienen lo que queréis comprar
- preguntar cuánto vale
- comentar con el compañero/a si os gusta, si es grande, caro, bonito...
- pagar

⑤ Tiempo libre

En esta unidad vamos a:
Realizar una encuesta sobre lo que hacemos en el tiempo libre.

Para ello vamos a aprender:
- a hablar de actividades de ocio
- a expresar frecuencia
- a hablar de la salud
- a expresar sensaciones y sentimientos
- formas para proponer actividades, quedar o disculparse
- a hablar de relaciones temporales: **antes de**, **después de**
- algunos verbos irregulares: **hacer**, **jugar**, **salir**, **ver**, **ir**, **poder**, **querer**

1. ¿HACEMOS DEPORTE?

jugar al
- fútbol
- baloncesto
- voleibol
- tenis
- ping-pong

hacer
- windsurf
- snowboard
- vela
- danza
- atletismo
- submarinismo
- judo
- ciclismo

nadar
esquiar
patinar
montar a caballo
bailar

A ¿Puedes decir qué deportes practican los chicos y las chicas de la ilustración? Piénsalo y, luego, compara tus soluciones con las de un compañero.

Julián juega al fútbol y hace...

B ¿Te interesa algún deporte que no está en la lista? ¿Sabes cómo se llama en español? Busca en el diccionario o pregunta a tu profesor. Luego, no olvides anotarlo en tu "diccionario personal".

C Escribe frases para explicar qué deportes practicas, qué deportes no practicas y qué nivel tienes en cada uno. Luego, comentadlo en grupos de cuatro, como en el ejemplo.

- *Yo juego bastante bien al tenis y al fútbol.*
- *Yo no sé jugar al tenis...*
- *Yo sí, pero no muy bien.*
- *Yo no juego ni al tenis ni al fútbol.*

D ¿Cuál es el deporte más popular en vuestra clase? Haced una votación.

- *¿Quién monta a caballo?*
- *Yo.*
- *Y yo también.*
- *Y yo, pero no muy bien.*
- *O sea, tres personas montan a caballo...*

Montar a caballo   ///
Fútbol
...

2. DOS DEPORTISTAS ESPECIALES

AVENTURA JOVEN

MERCHE PUENTE
Campeona de España de tenis

Merche, actual campeona de España de tenis en la categoría infantil, ha respondido a unas preguntas para nuestra revista *Aventura joven*.

Este año eres, por fin, campeona de España. ¿Cuántos años tienes?

Trece, pero cumplo los catorce en octubre.

¿Por qué te gusta el tenis?

Pues no sé. Creo que porque es divertido y también porque mis padres son aficionados al tenis. Pero hay muchos otros deportes bonitos... Yo, por ejemplo, también hago judo.

¿Cuántas horas a la semana entrenas?

Muchas, unas veinte horas a la semana.

¿Y cuándo entrenas? ¿Después del colegio, los fines de semana...?

Entreno todas las tardes de 6h a 8h. A veces no tengo ganas, pero...

¿Y los fines de semana también entrenas?

Sí, los sábados y los domingos, normalmente tres horas por la mañana y tres por la tarde.

¿Y qué haces cuando no entrenas?

Me gusta salir con mis amigos, escuchar música y jugar con el ordenador. Lo que no me gusta mucho es leer.

¿Qué otros deportes te gustan?

Me encanta el judo y esquiar.

ALEJO VILLANUEVA
Genio del golf

Alejo practica un deporte muy diferente: el golf. Es también un gran campeón que nos cuenta cómo es la vida de un jugador de golf.

Es la segunda vez que eres campeón de España. ¿Cuántos años tienes?

Catorce.

¿Cuántas horas al día juegas al golf?

¿Muchas?

Unas tres cada día, después del cole. Juego con mi entrenador, que es mi padre. Y los sábados y los domingos unas cinco horas.

¿Es difícil la vida de un jugador de golf?

No, no, qué va... Viajo mucho para participar en torneos y tengo muchos amigos en

muchos países. Es divertido.

¿Ganas siempre?

No, a mi padre no, por ejemplo.

¿Qué otros deportes te gustan?

Me gusta mucho el fútbol y también practico un poco el judo.

Pero no siempre juegas al golf... ¿Qué otras cosas te gusta hacer?

Me gusta mucho jugar con el ordenador, leer cómics y escuchar música.

A Lee las dos entrevistas y busca tres cosas que tienen los dos chicos en común y tres cosas que no.

● *A los dos les gusta...*

B ¿Y tú? ¿Qué tienes en común con ellos?

● *Yo también hago judo.*

C Escucha ahora esta otra entrevista. ¿Qué sabes de Emi?

D Prepara con tu compañero una entrevista similar a un personaje del mundo de deporte, real o imaginario. Después, la podéis representar delante de la clase, como si fuera un programa de televisión o de radio.

VERBOS IRREGULARES

HACER	SABER	JUGAR
hago	**sé**	**jue**go
haces	sabes	**jue**gas
hace	sabe	**jue**ga
hacemos	sabemos	jugamos
hacéis	sabéis	jugáis
hacen	saben	**jue**gan

PRACTICAR DEPORTES

● **¿Practicas algún deporte?**
○ **Sí, juego al** tenis y **hago** judo.

Y, NO... NI

Hago karate **y** surf.
No hago karate **ni** surf.

RELACIONES TEMPORALES

antes del colegio
después de las clases

antes de las seis   **después de** la seis

● **¿Cuándo** entrenáis?
○ Yo, **después de** la escuela.
■ Yo, **antes de** comer.

FRECUENCIA

siempre
normalmente
los sábados / domingos /...
una vez al día / al mes / a la semana / ...
dos **veces al día / al mes / a la semana** / ...
muchas veces
nunca

● **¿Cuántas horas al día** juegas al ajedrez?
○ Dos o tres.

● **¿Cuántas veces por semana** entrenas?
○ Dos. Normalmente los viernes y los domingos.

 Cuando queremos expresar una cantidad aproximada:

unas tres horas al día
tres horas, **aproximadamente**
dos **o** tres horas

3. TELEADICTOS

A Contesta a estas preguntas en tu cuaderno:

1. ¿Te gusta la tele?

2. ¿Cuáles son tus programas favoritos?

3. ¿Cuántas teles hay en tu casa?

4. ¿Tienes una tele en tu habitación?

5. ¿Cuántas horas de tele ves al día?

6. ¿Cuándo ves la tele los fines de semana?

7. ¿Qué es para ti ver "demasiada" televisión?

8. ¿Necesitas permiso de tus padres para ver la tele?

9. ¿Quién controla el mando a distancia?

B En parejas, cada uno lee las respuestas de un compañero. ¿Es un "teleadicto"?

C ¿Cuánto tiempo dedicas, más o menos, a hacer estas cosas? Escribe frases.

leer

jugar con el ordenador

hacer deporte

escuchar música

hacer deberes

ver la tele

chatear

dormir

arreglar la habitación

hablar por teléfono

✐ Yo normalmente veo la televisión dos horas al día.

D Nos dividimos en grupos para dar premios a algunos compañeros. Cada grupo tiene que hacer preguntas al resto de la clase para saber quién es el compañero que lo merece.

EQUIPO 1
Busca al compañero que más horas ve la tele: entrega el **Premio Antena**.

EQUIPO 2
Busca al compañero que más horas lee: entrega el **Premio Cervantes**.

EQUIPO 3
Busca al compañero que más horas hace deporte: entrega el **Premio Olimpos**.

EQUIPO 4
Busca al compañero que está más horas delante del ordenador: entrega el **Premio Gates**.

EQUIPO 5
Busca al compañero que más horas escucha música: entrega el **Premio Beethoven**.

E Ahora informad al resto de la clase.

• El premio Antena es para Toni porque ve la tele cinco horas al día. ¡Y los fines de semana más!

4. ¿QUÉ PONEN HOY EN LA TELE?

la tele>hoy

7.00h ▶ Las noticias de la mañana.

7.45h ▶ Megatrix. Programa infantil que incluye las series animadas **Jimmy Neutrón** e **Inspector Gadget.**

12.00h ▶ La olla. Las mejores recetas de Asun Gordillo. Hoy: pizza vegetariana.

13.00h ▶ Sabrina. Serie.

14.00h ▶ Los Simpson. (Subtitulado para sordos)

15.00h ▶ Noticias.

15.30h ▶ La hora del corazón. Magacín presentado por Lucía Royo.

18.30h ▶ Urgencias. Serie.

19.00h ▶ Vivir con elefantes. Documental.

20.00h ▶ Un, dos, tres, ya. Concurso presentado por Tomás Oro, en el que seis concursantes se enfrentan para ganar premios de hasta un millón de euros. (Subtitulado para sordos)

21h ▶ Noticias.

21.30h ▶ Gol a gol. Resumen de la jornada de fútbol.

24h ▶ Viva el cine: Indiana Jones y la última cruzada, con Harrison Ford.

2h ▶ La pobre María. Serie venezolana.

3h ▶ Clips musicales: los mejores videoclips de las grandes estrellas. Hoy, Eminem.

A Esto es la programación de una cadena española de televisión. Seguro que no es muy diferente de una de tu país. Aunque no lo entiendas todo, ¿puedes reconocer...?

un informativo

UN DOCUMENTAL   una serie

una película   un concurso

un programa musical

dibujos animados

UN PROGRAMA DE DEPORTES

B Mira la programación y elije tres programas.

- A mí me gustan los dibujos, las películas y los concursos. Quiero ver "Los Simpson", "Indiana Jones" y "Un dos tres, ya".

C También podéis escribir, en grupos, la programación de un día de una imaginaria "cadena ideal" para chicos de vuestra edad. Luego, lo podéis presentar oralmente al resto de la clase.

- A las siete de la mañana, dibujos animados, por ejemplo, "Bola de Dragón" y...

ACTIVIDADES HABITUALES

Yo voy a	la piscina nadar	una vez a la semana.
dos veces al mes.
muchas veces.
todos los días.
todos los lunes.

Nado **unas** dos horas.
Nado dos horas **aproximadamente**.

Hago	un poco de
bastante
mucho
demasiado	deporte.

¿Ves mucho la tele?

Unas dos horas al día

VERBOS IRREGULARES

SALIR	VER
salgo	**veo**
sales	ves
sale	ve
salimos	vemos
salís	veis
salen	ven

Los verbos **ver** y **salir** son irregulares en la primera persona. También son irregulares los verbos **tener**, **venir** y **poner**: tienen una **g** en la primera persona: **tengo**, **vengo**, **pongo**.

Veo la televisión una hora al día.
Salgo con mis amigos los domingos.

5. EN LA FERIA

A Lee las conversaciones. ¿Quiénes hablan?

B Ahora escucha y comprueba.

C Con un compañero trata de descubrir cómo funciona el verbo **doler**. A veces es **duele** y a veces **duelen**. ¿Cuándo?

Me duele el estómago.
Me duele la cabeza.
Me duelen las piernas.
Me duelen los ojos.

A Mamá... Me duele la tripa...

Claro... ¡¡Tanto chocolate!!

B Bufff... ¡Qué mareo!

¿Te encuentras mal?

No, nada, no es nada...

C ¡¡Achís!!

Salud, ¿estás resfriada?

Sí. Y tengo dolor de cabeza.

D ¡¡Ah!! ¡Qué daño!

¿Qué te pasa?

Me he hecho daño en la rodilla.

E ¿Subimos al tren?

Uy, no, ¡qué miedo!

6. DEMASIADO TIEMPO TUMBADOS

A Éste es un informe del famoso Dr. Koller, especialista alemán en ortopedia, aparecido en la revista *Salud*, en el número dedicado a los chicos jóvenes. ¿Puedes deducir las palabras que faltan en la ilustración?

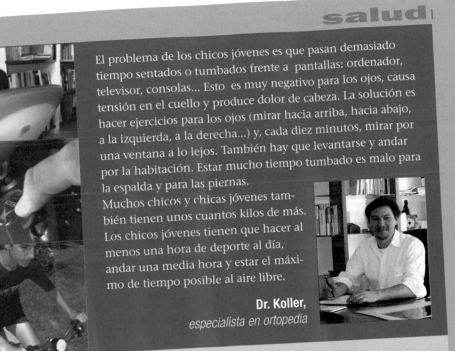

El problema de los chicos jóvenes es que pasan demasiado tiempo sentados o tumbados frente a pantallas: ordenador, televisor, consolas... Esto es muy negativo para los ojos, causa tensión en el cuello y produce dolor de cabeza. La solución es hacer ejercicios para los ojos (mirar hacia arriba, hacia abajo, a la izquierda, a la derecha...) y, cada diez minutos, mirar por una ventana a lo lejos. También hay que levantarse y andar por la habitación. Estar mucho tiempo tumbado es malo para la espalda y para las piernas.

Muchos chicos y chicas jóvenes también tienen unos cuantos kilos de más. Los chicos jóvenes tienen que hacer al menos una hora de deporte al día, andar una media hora y estar el máximo de tiempo posible al aire libre.

Dr. Koller,
especialista en ortopedia

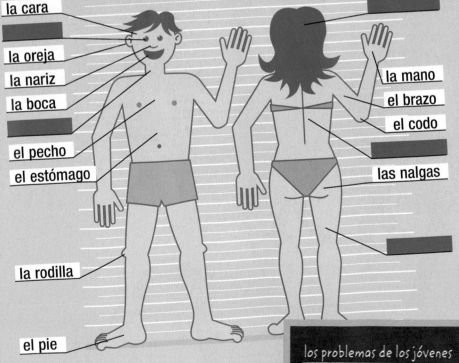

la cara
la oreja
la nariz
la boca
el pecho
el estómago
la rodilla
el pie

la mano
el brazo
el codo
las nalgas

B Con un compañero completa el cuadro en tu cuaderno.

los problemas de los jóvenes	las soluciones
	hay que

ESTADOS FÍSICOS

¿Qué te pasa?

Me duele la cabeza.
Me duelen las piernas.

Tengo dolor de cabeza / estómago /...

Estoy resfriado/a.
mareado/a.
cansado/a.

No me encuentro (muy) bien.

Me he hecho daño en la mano / el pie /...

Tengo (un poco de) hambre.
sed.
calor.
frío.
sueño.

SENSACIONES Y SENTIMIENTOS

¡Qué calor / frío!
¡Qué miedo!
¡Qué sed / hambre!
¡Qué daño!
¡Qué dolor (de cabeza)!

IR

voy
vas
va
vamos
vais
van

● ¿**Vamos** a casa?
○ Sí, vale.

7. ¿VIENES?

A Teresa recibe cuatro correos con diferentes propuestas para el domingo por la tarde. ¿Qué expresiones puedes relacionar con los dibujos? Después, lee los correos. ¿A qué dibujo se refiere cada uno?

ir al cine
ir a tomar algo
ir a comer una hamburguesa o una pizza
salir con amigos
ir de compras
ir a un concierto
quedarse en casa
ir a casa de unos amigos
ir a casa de la abuela....

- *Ir al cine, uno.*

A — Trabajo de Historia

¡Hola Teresa!
Si quieres terminar el trabajo de Historia, tengo un montón de información de Internet. Puedes venir a mi casa el domingo. Después, podemos pasar por la hamburguesería "La vaca simpática". Hay una fiesta hasta las tres con muchas cosas gratis. ¿Puedes llamarme al móvil? Mi número es el 666840573. :-)

B — ¡Hola, Teresa!

¡Hola!
Mañana vamos al cine a ver una peli de miedo. Si quieres venir, nos encontramos a las cinco delante del cine Principal. ¡¡Vienen también Juanma y Luis!! Veeeeeeeen. ¡Adiós!

C — Partido de baloncesto

¿Qué tal?
Lo siento, chica, pero el domingo no puedo ir contigo al partido de baloncesto. Es el cumpleaños de mi abuela y ya sabes: familia, familia, familia... Pero, si te apetece, podemos ir de compras esta tarde. Contesta rápido o mándame un SMS. 😊

D — Vente conmigo a Hollywood

¡Hola! ¡Hola!
Estoy solo, aburrido... Es que estoy un poco enfermo (estoy resfriado y tengo un poco de fiebre y tos) y no me dejan salir. ¿Por qué no vienes a mi casa un rato? Podemos escuchar música. ¡¡Tengo unos CDs nuevos increíbles!! :-o
O si quieres, podemos ver una peli.
¡Hasta luego! :-)

B Imagina que estás en la misma situación que Teresa. ¿Cuál de las invitaciones aceptas?

- *Yo prefiero ir al cine. ¿Y tú?*
- *Yo, a comer una hamburguesa...*

8. MÁS INFORMACIÓN, EN INTERNET

A Teresa busca más información para decidir qué va a hacer este domingo y encuentra esta página web. ¿Adónde puede ir si...?

- ... quiere comer barato
- ... quiere pasar miedo
- ... quiere hacer un poco de deporte
- ... quiere escuchar música
- ... quiere saber cosas nuevas
- ... quiere comprar un CD

Atrás Adelante Detener Actualizar Página principal Autorrelleno Imprimir Correo

Dirección: www.ociogentejoven.com

Favoritos Historial Buscar Álbum Marcador de páginas

> Cine Principal
13 FANTASMAS
Unos chicos de excursión llegan a una misteriosa casa. Uno de ellos desaparece. Una versión moderna de *Drácula*. Si quieres pasar mucho miedo... ¡No te la pierdas!

> Bolera Hollywood:
Precios fantásticos para grupos (pases para 6 personas, 24 euros) Abierto de 10h a 22h
Pizzas, bocadillos y refrescos
Precios especiales para fiestas de cumpleaños

> La vaca simpática
Hamburguesería
Domingo, fiesta de 10º Aniversario
De 12h a 21h
Todo al 50%
Patatas fritas gratis a todas las personas menores de 18 años

> La Oreja de Van Gogh en concierto
Jueves 19 y sábado 28 de marzo
20h
Palacio de Congresos
Entradas a partir de 40 euros

> Partido de Baloncesto
Final de la Copa del Rey
Real Madrid - Pamesa Valencia
Polideportivo de la Fuente Clara 12h.

> ¿Tienes videojuegos usados? ¿Tienes CDs de música que no escuchas?
VEN A TRUEQUECEDÉ

> MUSEO DEL JURÁSICO:
Cine 4D.
Un esqueleto de Triceratops. Fósiles.
Viaje virtual al tiempo de los dinosaurios.

B Algunas de las actividades que aparecen en las webs se anuncian también por la radio, pero de forma diferente. ¿Cuáles? Escucha estos anuncios.

C ¿Y a ti? ¿Adónde te gustaría ir?

• *A mí me gustaría ir al cine y al concierto.*

D Ahora, simularemos que vamos a salir juntos los compañeros de clase. Prepara un papelito con una propuesta para hacer algo, en nuestro barrio o en nuestro pueblo. El profesor recoge todas las invitaciones y las reparte. Tienes que contestar, por escrito, a la que recibas. Puedes aceptar o rechazar dando excusas. ¡No olvides firmar!

¿Quieres ir esta tarde a patinar? Vamos Eva, Carlos y yo. Llámame.
Berta

Lo siento, hoy no puedo ir a patinar. Estoy muy resfriada y me duelen las piernas. ¡Otro día!
Lisa

5 la chuleta de gramática

QUERER Y PODER

QUERER	PODER
quiero	puedo
quieres	puedes
quiere	puede
queremos	podemos
queréis	podéis
quieren	pueden

QUERER / PODER + INFINITIVO
Quiero ir al cine.

- ● ¿Quieres venir a mi casa?
- ○ Hoy **no puedo** (ir). Tengo que ir al dentista.

VENIR

ven**g**o
v**ie**nes
v**ie**ne
venimos
venís
v**ie**nes

PROPONER Y QUEDAR

INVITAR
Si quieres, **puedes venir** a mi casa.

¿Quieres venir conmigo / con nosotros?

¿Vamos al cine?

¿Por qué no vienes a mi casa / con nosotros? Vamos de compras.

CITARSE Y ACEPTAR
- ● ¿A qué hora quedamos?
- ○ A las cinco.

- ● ¿Dónde quedamos?
- ○ ¿Quedamos en mi casa?

- ● ¿Qué tal a las seis?
- ○ Fenomenal, a las seis estoy allí.
  Vale.
  Muy bien.

EXCUSARSE
No puedo, **tengo que** estudiar.
estoy resfriado.

DESEOS: ME GUSTARÍA
- ● A mí me **gustaría** ver una película de acción.

LA REVISTA LOCA

la la la la la

🎧 QUIERO BAILAR

Los fines de semana quiero bailar.
Los fines de semana quiero gozar.
Los fines de semana no son pa' trabajar.
Los fines de semana, reír y amar...

Mis padres me preguntan
adónde voy
por qué no estoy en casa
o viendo televisión.

Pero yo les digo
el lunes, martes, miércoles
tengo colegio
el jueves y el viernes
qué lástima también
pero el sábado y el domingo
son el fin de semana y
no quiero trabajar más.

Porque...
los fines de semana quiero bailar.
Los fines de semana quiero gozar.
Los fines de semana no son pa' trabajar.
Los fines de semana, reír y amar...

Santo Domingo es una pequeña isla que contiene los países de Haití y la República Dominicana. Allí nace, en el siglo diecinueve, el merengue, actualmente la música nacional dominicana y uno de los estilos más importantes de la música bailable afrocaribeña.

Como baile, el merengue es bastante fácil y muchos grupos de salsa tocan también merengues. Desde su *boom* en los 80, el merengue es uno de los géneros más importantes de la industria musical latina.

ACTUALIDAD

¿ADICTOS A LOS VIDEOJUEGOS?

El 58,5% de los adolescentes españoles dedican buena parte de su tiempo de ocio a las "maquinitas", según el estudio 'Jóvenes y videojuegos', del Instituto de la Juventud (Injuve).

El 42,4% de los adolescentes encuestados suele jugar como mínimo tres días a la semana, y muchos de ellos afirman que incluso pueden hacerlo todos los días. El 25% puede definirse como adicto, ya que dedica más de dos horas diarias en días laborables a esta actividad.

También se sabe que el sector de los videojuegos es claramente masculino: los chicos son los mayores aficionados a quedarse delante de una pantalla. Muchos chicos dicen que tienen problemas derivados de los videojuegos, como sacar malas notas en el cole, discutir con los padres o no dormir las horas necesarias.

C de Cultura

Música latina

La música latina y española están de moda pero... ¿con qué país se relaciona...?

el tango — **_RG_NT_N_**

la salsa — **C_B_**

las rancheras — **M_X_C_**

el flamenco — **_SP_Ñ_**

la cumbia — **C_L_MB__**

la cueca — **CH_L_**

El deporte nacional

En tres de estos países el deporte nacional es el fútbol. En los otros, el béisbol. ¿En cuáles?

CUBA ARGENTINA ESPAÑA PUERTO RICO URUGUAY VENEZUELA

¿A QUÉ JUGAMOS?

TODO EL DÍA IGUAL. ¡SÓLO SABÉIS JUGAR CON ORDENADORES!

¡SOIS UNOS ABURRIDOS!

¡NO ES VERDAD! A VECES VEMOS LA TELE...

Y A VECES JUGAMOS CON LA CONSOLA...

Y PRACTICAMOS DEPORTES...

O LEEMOS...

¡YOU WIN!!

Y PRACTICAMOS EL INGLES...

Y VIAJAMOS ...

SÍ, ES VERDAD.

NO SIEMPRE SON LOS MISMOS BOTONES.

A LUGARES MUY, MUY ESPECIALES ...

O ESCRIBIMOS ...

Y HACEMOS NUEVOS AMIGOS...

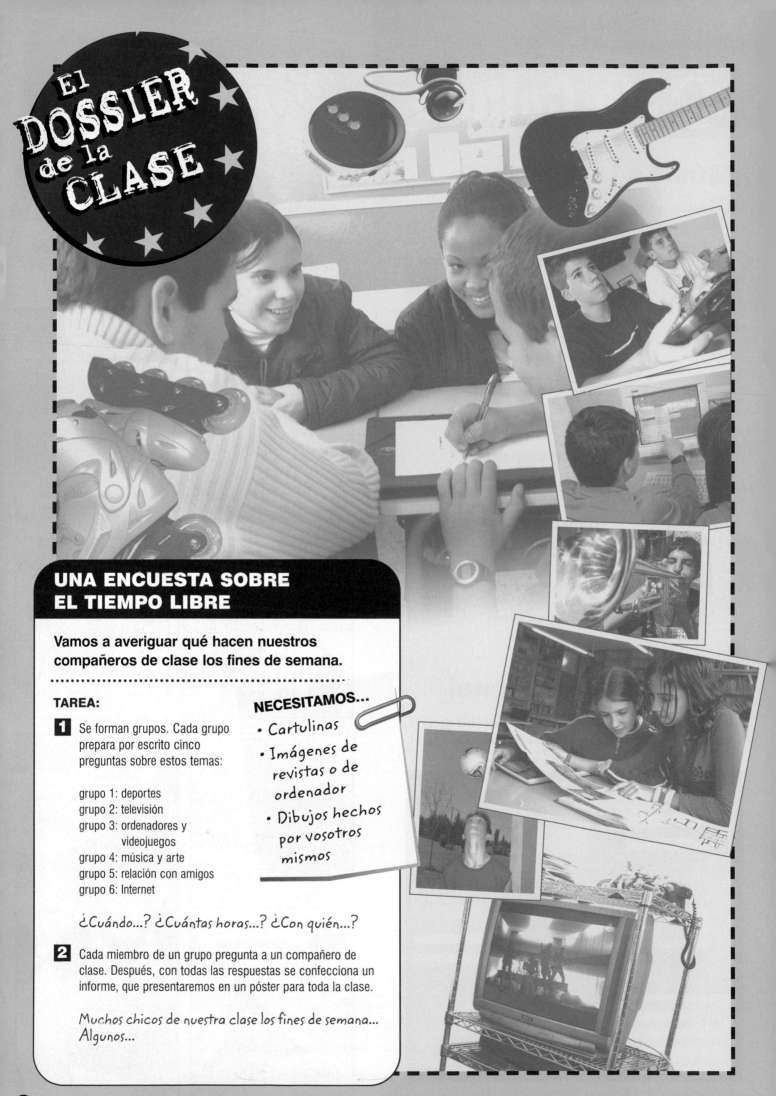

El DOSSIER de la CLASE

UNA ENCUESTA SOBRE EL TIEMPO LIBRE

Vamos a averiguar qué hacen nuestros compañeros de clase los fines de semana.

TAREA:

1 Se forman grupos. Cada grupo prepara por escrito cinco preguntas sobre estos temas:

grupo 1: deportes
grupo 2: televisión
grupo 3: ordenadores y
          videojuegos
grupo 4: música y arte
grupo 5: relación con amigos
grupo 6: Internet

¿Cuándo...? ¿Cuántas horas...? ¿Con quién...?

2 Cada miembro de un grupo pregunta a un compañero de clase. Después, con todas las respuestas se confecciona un informe, que presentaremos en un póster para toda la clase.

*Muchos chicos de nuestra clase los fines de semana...
Algunos...*

NECESITAMOS...

- Cartulinas
- Imágenes de revistas o de ordenador
- Dibujos hechos por vosotros mismos

6 De vacaciones

En esta unidad vamos a:

Preparar una pequeña conferencia sobre un país o sobre una región.

Para ello vamos a aprender:

- a describir lugares
- a situar lugares y objetos
- a hablar del clima
- a contar experiencias recientes: el Pretérito Perfecto
- a hablar del futuro: **ir** + **a** + Infinitivo
- algunos usos de **ser** y **estar**
- marcadores de lugar: **en**, **al norte / sur /... de**, **al lado de**, **delante de**, **detrás de**...
- la impersonalidad con **se**
- las frases relativas
- los superlativos
- los pronombres personales de CD
- a expresar diferentes grados de seguridad

1. EL VIAJE DE ELÍAS

A Elías es un fotógrafo que trabaja para la revista de viajes *Gente joven con mochila*. Observa el mapa y los dibujos: ¿qué países reconoces?

- Esto es Venezuela, creo.

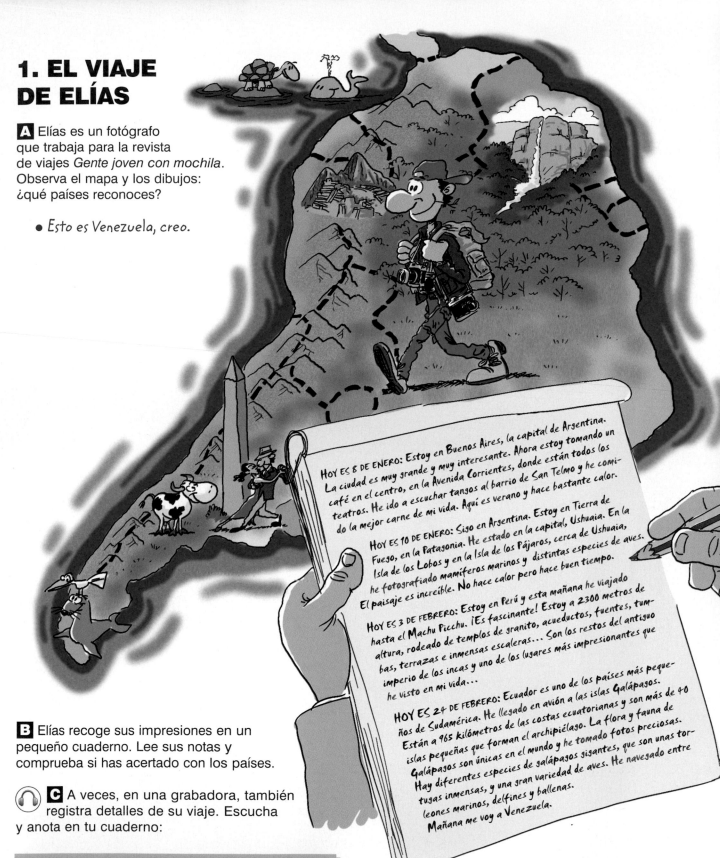

HOY ES 8 DE ENERO: Estoy en Buenos Aires, la capital de Argentina. La ciudad es muy grande y muy interesante. Ahora estoy tomando un café en el centro, en la Avenida Corrientes, donde están todos los teatros. He ido a escuchar tangos al barrio de San Telmo y he comido la mejor carne de mi vida. Aquí es verano y hace bastante calor.

HOY ES 10 DE ENERO: Sigo en Argentina. Estoy en Tierra de Fuego, en la Patagonia. He estado en la capital, Ushuaia. En la Isla de los Lobos y en la Isla de los Pájaros, cerca de Ushuaia, he fotografiado mamíferos marinos y distintas especies de aves. El paisaje es increíble. No hace calor pero hace buen tiempo.

HOY ES 3 DE FEBRERO: Estoy en Perú y esta mañana he viajado hasta el Machu Picchu. ¡Es fascinante! Estoy a 2300 metros de altura, rodeado de templos de granito, acueductos, fuentes, tumbas, terrazas e inmensas escaleras... Son los restos del antiguo imperio de los incas y uno de los lugares más impresionantes que he visto en mi vida...

HOY ES 24 DE FEBRERO: Ecuador es uno de los países más pequeños de Sudamérica. He llegado en avión a las islas Galápagos. Están a 965 kilómetros de las costas ecuatorianas y son más de 40 islas pequeñas que forman el archipiélago. La flora y fauna de Galápagos son únicas en el mundo y he tomado fotos preciosas. Hay diferentes especies de galápagos gigantes, que son unas tortugas inmensas, y una gran variedad de aves. He navegado entre leones marinos, delfines y ballenas.
Mañana me voy a Venezuela.

B Elías recoge sus impresiones en un pequeño cuaderno. Lee sus notas y comprueba si has acertado con los países.

C A veces, en una grabadora, también registra detalles de su viaje. Escucha y anota en tu cuaderno:

¿Qué día es?

¿Dónde está Elías?

¿Qué tiempo hace?

¿Cómo es el país?

¿Qué hay en este país?

D En los textos aparece un nuevo tiempo, el Pretérito Perfecto: **he ido**, **he estado**, **he visitado**... Copia en tu cuaderno las formas que encuentres y, con un compañero, buscad los infinitivos correspondientes y reflexionad sobre cómo se forma este tiempo y para qué se utiliza.

✎ comer — COMIDO

2. ¿QUÉ TAL VAS DE GEOGRAFÍA?

A ¿Qué es o qué son?

El Titicaca
Lima
El Caribe
Cuba
Los Andes
El Aconcagua
Caracas
Bolivia
El Amazonas
El Orinoco
Honduras
El Atlántico
San José de Puerto Rico

Una cordillera
Un río
Una montaña
Un país
Una ciudad
Una isla
Un mar
Un lago
Un océano
La capital de...

- *El Titicaca es un lago que está en ...*

B Fíjate ahora en estas frases. Algunas llevan el verbo **ser** y otras el verbo **estar**. ¿Sabéis cuándo o por qué? Trabaja con un compañero.

Los Pirineos **están** entre España y Francia.
Guatemala **está** en América Central.
Andalucía **está** al sur de Madrid.
Caracas **es** la capital de Venezuela.
Argentina **es** muy grande.
Medellín y Cali **son** dos ciudades colombianas.

3. NICARAGUA, UN PAÍS ENTRE DOS OCÉANOS

Nicaragua

CAPITAL: Managua

SITUACIÓN: Nicaragua limita al norte con Honduras, al sur con Costa Rica, al este con el Océano Atlántico y al oeste con el Océano Pacífico.

EXTENSIÓN: 130 668 Km². Es el país más grande de América Central.

HABITANTES: 5 000 000 aproximadamente

GRUPOS ÉTNICOS: mestizos 69%, de descendencia europea 17%, de descendencia africana (creoles) 9%, amerindios (miskitos y mayagnas) 5%.

PROBLEMAS PRINCIPALES SOCIALES: el desempleo y la extrema pobreza

MONEDA: córdoba

IDIOMAS: español, miskito y mayagna

PRINCIPALES PRODUCTOS: café, azúcar, oro y marisco

CLIMA: tropical

LUGARES DE INTERÉS: volcanes: Masaya y Momotombo; playas: Poneloya y San Juan del Sur; reserva natural: río Bartola; lugares pintorescos: León (catedral y casa natal del poeta Ruben Darío), Granada (casas coloniales) y Waspán (poblaciones indígenas).

ACTIVIDADES TURÍSTICAS: buceo, surf, caminatas, ecoturismo, canopy, kayak y pesca deportiva

A Leed la ficha sobre Nicaragua. Con los libros cerrados y en pequeños grupos, tratad de reconstruir el máximo de información. ¿Quién recuerda más datos?

B ¿Puedes ahora hacer una ficha sobre tu país o tu región con algunas informaciones (situación, capital, moneda, habitantes, principales productos...)? Si te falta vocabulario, pregunta al profesor o busca en el diccionario. Después anótalo en tu "diccionario personal".

---

6 la **chuleta** de gramática

SITUAR LUGARES

España **está**
al norte de Marruecos.
al sur de Francia.
al este de Portugal.
al oeste de Italia.

Santander está **en el norte**.

Cádiz está **en el sur**.

DESCRIBIR LUGARES

Tiene
cinco millones de habitantes.
140 000 km².
un clima tropical / continental / mediterráneo.
montañas muy altas.

Es un país muy pequeño / bonito /...

EL TIEMPO

Hace
(mucho / bastante)
calor
frío
viento
sol

(muy)
buen tiempo
mal tiempo

Llueve
Nieva
mucho / bastante

IMPERSONALIDAD CON SE

En México **se** habla español.
En América Latina **se** come mucho arroz.
En España **se** producen coches.

PRETÉRITO PERFECTO

Presente de **haber** + Participio

he
has
ha
hemos
habéis
han

est**ado**
com**ido**
viv**ido**

En Argentina **he comido** carne muy buena.

4. UN CONCURSO DE GEOGRAFÍA

A Di si es verdad o mentira. Puedes trabajar con dos compañeros.

1. ¿Cuba es una isla?
2. ¿Granada está en el sur de España?
3. ¿México es el país latinoamericano más grande?
4. ¿España tiene 40 millones de habitantes?
5. ¿Vietnam está en África?
6. ¿En Paraguay se hablan dos lenguas, el español y el guaraní?
7. ¿En Estados Unidos hay más de 30 millones de personas que hablan español?
8. ¿El Montblanc es una montaña?
9. ¿Los Andes están en Norteamérica?
10. ¿El Támesis es un río que pasa por Londres?
11. ¿La capital de Portugal es Lisboa?
12. ¿Nigeria tiene más de 100 millones de habitantes?
13. ¿Las islas Canarias son españolas?
14. ¿La capital de Canadá es Washington?
15. ¿Marruecos está al norte de Argelia?
16. ¿Rusia es el país más grande del mundo?

- ¿El Támesis es un río que pasa por Londres?
- ○ Yo creo que sí.
- ■ Yo no lo sé.
- ❑ Sí, sí, seguro...

B Un pequeño juego: cada alumno prepara una frase sobre un lugar del mundo. Puede describir qué es y/o dónde está, pero sin decir su nombre. ¿Quién lo adivina antes?

- Es una ciudad que está en el Océano Pacífico en la que se hacen muchas películas...
- ○ ¿San Francisco?
- No.
- ○ Los Ángeles...
- ¡Sí!

C En equipos de tres, vamos a jugar a adivinar países. Un equipo piensa en un país. Los demás equipos le hacemos preguntas por turnos. ¿Qué equipo lo adivina primero?

EQUIPO A	¡Ya está!
EQUIPO B	¿Es grande?
EQUIPO A	No.
EQUIPO C	¿Está en Europa?
EQUIPO A	Sí.
EQUIPO D	¿Se habla inglés?
EQUIPO A	No.
EQUIPO E	¿Se habla alemán?
EQUIPO A	Sí.
EQUIPO F	¿Tiene muchas montañas?
EQUIPO A	Sí.
EQUIPO G	¿Austria?
EQUIPO A	Sí.

5. EL ESPAÑOL SUENA DE MUCHAS MANERAS

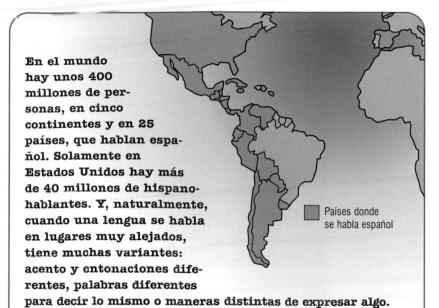

En el mundo hay unos 400 millones de personas, en cinco continentes y en 25 países, que hablan español. Solamente en Estados Unidos hay más de 40 millones de hispanohablantes. Y, naturalmente, cuando una lengua se habla en lugares muy alejados, tiene muchas variantes: acento y entonaciones diferentes, palabras diferentes para decir lo mismo o maneras distintas de expresar algo. Por ejemplo, cuando respondemos al teléfono, un español dice "diga", un colombiano "aló", un mexicano "bueno"... Pero son pequeños detalles y no hay una variante mejor que otra. Todos los hispanohablantes nos entendemos.

Países donde se habla español

SUPERLATIVOS

Belice es **el** país **más** pequeño **de** América.

El Everest es **la** montaña **más** alta **del** mundo.

RELATIVAS

Es un país.   Tiene muchas montañas.

Es un país **que** tiene muchas montañas.

Es un país **en el que** se habla francés.
Es una región **en la que** se cultiva café.
Es una ciudad **donde** se hacen películas.

GRADOS DE SEGURIDAD

● ¿Francia está al norte de España?

○ **Sí, sí, seguro.**
❑ **(Yo) creo que sí.**
■ **(Yo) no lo sé.**

A Lee el texto sobre el español en el mundo. ¿Y vuestra lengua? ¿En qué países se habla? ¿Cuánta gente la habla? ¿Hay diferencias regionales? ¿Todo el mundo habla igual?

B Vas a escuchar a tres personas de tres países recitar una estrofa de una canción ("Plegaria a un labrador"). ¿Notas diferencias? ¿Qué versión te gusta más?

Levántate y mira la montaña
de donde viene el viento, el sol y el agua.
Tú que manejas el curso de los ríos,
tú que sembraste el vuelo de tu alma.
Levántate y mírate las manos
para crecer estréchala a tu hermano.

C Has observado que en las variantes del español hay diferencias importantes de pronunciación. Escucha ahora estas palabras pronunciadas por una persona española, una mexicana y una argentina.

¿Sabes dónde estamos?

No lo sé, ni idea...

Observa especialmente los sonidos que corresponden a las grafías **s/z/c**, **ll/y**, **j**.

lejos	Tijuana
llueve	playa
Zapata	Zaragoza
Sevilla	Asunción

6. ¿DÓNDE ESTÁ MI MOCHILA?

A Tamara y Juanjo se van de vacaciones. Están preparando la mochila. Lee o escucha la conversación y escribe los nombres de las partes de la casa. Si quieres, usa el diccionario.

TAMARA	Mamá… ¿Y mi mochila, la roja?
MADRE	En el armario de tu cuarto.
JUANJO	Mamá… ¿Y mis botas de montaña?
MADRE	En el armario del garaje, abajo a la derecha.
TAMARA	¿Y sabes dónde está mi saco de dormir?
MADRE	Sí, claro, en tu cuarto, debajo de la cama.
JUANJO	¿Y la linterna?
MADRE	En la cocina, encima de la mesa.
TAMARA	Mamá… No encuentro mi toalla azul.
MADRE	Pues está en el cuarto de baño, en el armario, al lado de la bañera.
JUANJO	Mami, ¿y mi balón de fútbol?
MADRE	Mira, allí, al lado de tu cama.
TAMARA	¿Y mi anorak gris? No lo encuentro por ninguna parte…
MADRE	En el salón, encima del sofá, creo…
JUANJO	¿Y mi anorak amarillo?
MADRE	En la entrada, dentro del armario…

B Ahora lee estas afirmaciones y mira la imagen, ¿cuáles son verdad y cuáles mentira?

	verdad	mentira
1. Hay una mochila azul en el garaje.		
2. Hay unas botas blancas en el cuarto de Tamara.		
3. Hay una toalla roja en la entrada.		
4. Hay unas zapatillas azules debajo de la cama de Juanjo.		
5. Hay un anorak gris encima de la cama de Juanjo.		
6. Hay un balón de fútbol debajo de la mesa de la cocina.		
7. Hay una raqueta de tenis encima de la cama de Tamara.		

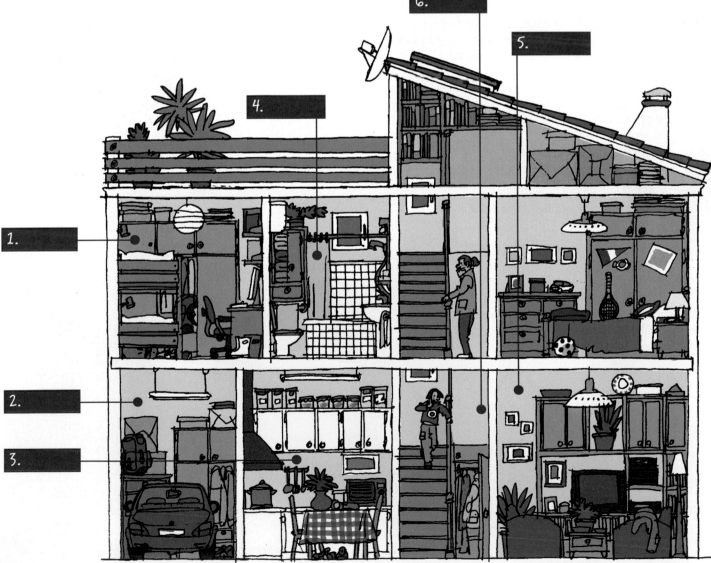

7. LAS BOTAS, ALLÍ

A Tamara y Juanjo ya están en el campamento. Pero como son muy despistados, no recuerdan dónde están las cosas. Escucha su conversación, mira la imagen y escribe dónde están las cosas.

1. La pasta de dientes
2. Las palas de ping-pong
3. El chocolate
4. El juego de cartas y el parchís
5. La cámara de fotos
6. El colchón hinchable
7. Las zapatillas negras
8. Las gafas de sol

está/n

a la derecha de las botas
en el suelo
en la bolsa roja
delante de la mochila
debajo del saco de dormir
en el bolsillo del anorak
dentro de la tienda
encima del saco de dormir

● La pasta de dientes está...

B Fíjate ahora en estas pequeñas conversaciones. Con otro compañero tratad de averiguar cuándo se usan **lo/la/los/las**. ¿A qué corresponden en tu lengua?

● ¿Y el saco?
○ **Lo** he puesto en la bolsa.

● ¿Y la mochila?
○ **La** he puesto en la bolsa.

● ¿Y los caramelos?
○ **Los** he puesto en la bolsa.

● ¿Y las botas?
○ **Las** he puesto en la bolsa.

SITUAR

¿**Dónde está** Alex?

aquí	arriba
allí	abajo
a tu lado	a la derecha
a mi lado	a la izquierda

en el suelo

debajo de la mochila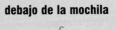

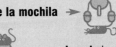 **encima de** la mochila

dentro de la mochila

 detrás de la mochila

delante de la mochila

 **al lado de** la mochila

entre la mochila y las botas

PRONOMBRES DE CD

me	
te	
lo	la
nos	
os	
los	las

¿Dónde estás? No te veo...

Aquí... ¿No me ves?

● ¿Y **el saco**?
○ **Lo** he puesto en la mochila.

● **El saco lo** he puesto en la mochila.

8. NOS VAMOS DE VACACIONES

A Lee el siguiente texto sobre las vacaciones en España. ¿Es muy diferente vuestro calendario? Escribe un texto parecido sobre las vacaciones en tu país.

● *Nosotros tenemos vacaciones en julio y en...*

LOS ADOLESCENTES DE VACACIONES

En los colegios españoles las vacaciones se distribuyen de la siguiente manera: en Navidad hay quince días de fiesta, desde el 22 de diciembre, aproximadamente, hasta el 7 de enero. También hay vacaciones en Semana Santa (en marzo o en abril). Y, luego, vienen las de verano, casi tres meses, desde el 21 de junio hasta el 15 de septiembre.

En verano muchos chicos y chicas participan en campamentos o colonias. También algunos van al extranjero a estudiar idiomas. Otros pasan las vacaciones en la casa del pueblo del que proceden los padres, con los abuelos. Muchos padres opinan que las vacaciones de verano son demasiado largas, y que los chicos se aburren.

MARCOS: deportes náuticos en Ibiza
Normalmente, con mi familia vamos de vacaciones a Ibiza unos quince días en agosto, a un hotel. Nos gusta mucho a todos: buceamos, hacemos surf... Solemos ir en barco y así podemos llevar el coche. Este año, además, en julio voy a ir un campamento de baloncesto.

ÁGATA: un crucero por el Mediterráneo
Mi madre y yo todos los veranos hacemos un viaje de unos 10 días. Este año vamos a hacer un viaje en barco por el Mediterráneo: vamos a Italia, a Grecia y a Túnez.

INÉS: en el pueblo con los abuelos
Mis padres trabajan en verano: tienen un restaurante. Así que yo me voy con mis abuelos. Viven en un pueblo, en la Sierra de Gredos. Es muy divertido. Allí tengo muchas amigas, vamos a la piscina, damos paseos en bici... Y a veces podemos salir un rato por la noche a la plaza del pueblo, cuando son las fiestas. Este año también voy a ir.

VICTORIA: inglés en Irlanda
Estas vacaciones voy a ir un mes a Irlanda a perfeccionar mi inglés. Voy sola y... ¡en avión! Y luego, voy a quedarme en casa, en Madrid. Es un poco aburrido. Suerte que tengo algunos vecinos en el barrio que también están en la ciudad.

ABEL: cámping en los Pirineos
Con mis padres y mis hermanos vamos siempre de cámping a los Pirineos. Vamos en una autocaravana. Estamos cerca de un pueblo y hacemos excursiones a pie por las montañas, vamos a los lagos... En el cámping siempre hay mucha gente de mi edad y lo paso muy bien. Este años vamos a visitar Huesca.

B Lee qué explican los chicos entrevistados sobre sus planes para este verano. No vas a entenderlo todo pero fíjate en las palabras que conoces y vas a poder comprender la información principal. ¿Qué plan te parece el mejor?

● *A mí me gusta el plan de Marcos porque va a bucear y...*

C ¿Y tú? ¿Qué vas a hacer las próximas vacaciones?

● *Yo, en julio, voy a ir a Italia, a casa de mi abuela...*

¿Adónde vas a ir?
¿Con quién?
¿Cómo vas a ir?
¿Cuándo?
¿Cuánto tiempo?

9. PREFIERO VIAJAR...

¿Cómo prefieres pasar las vacaciones? Responde individualmente al test y después hazle preguntas a un compañero y anota sus respuestas.

1. Me gustan...
a) las vacaciones deportivas.
b) las vacaciones ecológicas.
c) las vacaciones de aventura.
d) las vacaciones culturales.

2. Prefiero viajar...
a) en coche.
b) en tren.
c) en avión.
d) en bici.
e) a pie.
f) en barco.
g) en autocar.

3. y alojarme en...
a) un hotel.
b) un cámping.
c) un apartamento.
d) una caravana.

4. Prefiero ir de vacaciones...
a) a la playa.
b) a la montaña.
c) al campo.
d) a una gran ciudad.
e) a un país lejano.

5. Cuando viajo me interesa/n sobre todo...
a) la naturaleza.
b) los deportes.
c) la cultura.
d) las compras.
e) conocer gente.

10. DE-VACACIONES.COM

A Mira estas ofertas de una agencia de viajes virtual. Fíjate en las palabras que conoces, y mira las imágenes para entender la información principal. Elige las dos que más te interesan.

Dirección: @ www.de-vacaciones.com

www.de-vacaciones.com

Superoferta
FÚTBOL EN MADRID

Incluye entradas para ver un partido entre el FC Barcelona y el Real Madrid. Y además, arte y cultura. Visitas al Museo del Prado, al Parque del Retiro y al Palacio Real. Excursión a Toledo en bus. Visita a varios centros comerciales para descubrir la moda española.

por 345,00 €

IBIZA
¡¡A Ibiza a descansar!!

Apartamentos de 6 plazas en gran complejo turístico. 5 restaurantes, tiendas, discoteca, piscina climatizada, tenis. Excursiones en bicicleta por la isla con guía. Curso de windsurf y/o de iniciación al buceo.

por 465,00 €

Excursiones a caballo por Gorbea
(País Vasco, oferta, cuatro días)

Excursión a caballo por Gorbea en un paraje natural de gran belleza, el Parque Nacional de Gorbea, el más grande del País Vasco. Cueva de Mairulegorreta, con más de 12 kilómetros de longitud; Museo de Alfarería Vasca en Ollerías, el Santuario de Oro, la Cascada de Gujuli... y el parque, ¡claro! Dónde vas a alojarte: Hotel La Casa del Patrón. Cuenta con 14 habitaciones totalmente equipadas con aire acondicionado, televisión vía satélite, canales musicales. Pensión completa.

por 264,00 €

3 días en Port Aventura y Costa Caribe... ¡Diversión sin límites!

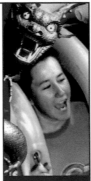

Hotel El Paso, de 4 estrellas. A tan solo un paso del mejor parque temático en España: Port Aventura. Situado en las proximidades de Salou y La Playa Larga. El hotel cuenta con: zona de piscina de 2000 metros cuadrados con jacuzzi gigante, piscina infantil con un galeón pirata semihundido y juegos de agua. Restaurante El Coyote: pizzas y hamburguesas en un ambiente tematizado con películas y actores famosos. Barbacoa Club Maya: carnes al grill y "Show Cooking". Programa de animación.

por 364,00 €

B Habla con tu compañero y pregúntale qué opciones ha elegido y por qué.

- *¿A ti qué viaje te interesa más?*
- *A mí el de Madrid.*
- *¿Por qué?*

C Ahora informad al resto de la clase sobre vuestras preferencias.

- *Nina quiere ir a Ibiza porque...*

ÉPOCAS DEL AÑO

en Navidad / Semana Santa / vacaciones /...
en primavera / verano / otoño / invierno
en enero / febrero / marzo / abril / mayo / junio / julio / agosto / septiembre / octubre / noviembre / diciembre

EN, A, CON, POR

ir en coche / tren / barco / avión / bicicleta

ir a Sevilla / pie

- ¿Adónde vas?
- Voy **al** campo. / Voy **a la** playa.

venir de Roma

- ¿De dónde **vienes**?
- De casa de Juan.

quedarse en casa / la ciudad /...
pasar las vacaciones en Marruecos
estar en Buenos Aires

viajar por España

pasar por Madrid

ir de vacaciones con mis padres / amigos /...

HABLAR DE PLANES

este verano / otoño / invierno / año /...
esta primavera / semana / mañana /...
estas vacaciones / Navidades /...
mañana / **pasado mañana**
el año que viene / **la semana próxima**
el día 10
en agosto / Pascua /...

IR + A + INFINITIVO

Este verano **voy a viajar** por Alemania.
Mañana **voy a salir** con Laura.

PRESENTE PARA HABLAR DEL FUTURO

Mañana **voy** a París.
Este verano **me quedo** en casa.

PREFERIR

pref**ie**ro
pref**ie**res
pref**ie**re
preferimos
preferís
pref**ie**ren

LA REVISTA LOCA

LA AMAZONIA:

La selva más grande del mundo en peligro

Los 600 millones de hectáreas que abarca la cuenca amazónica, que se extiende por Brasil, Perú, Bolivia, Ecuador, Surinam, Guayana, Venezuela y Colombia, están en peligro. En la actualidad, la Amazonia vive la peor crisis social y ecológica de su historia. La selva tropical está desapareciendo a un ritmo terrible: 5200 hectáreas al día, lo equivalente a ocho campos de fútbol por minuto.

La industria maderera, los incendios forestales, la construcción de carreteras, la expansión de la agricultura y la ganadería, las plantaciones de soja, las prospecciones petrolíferas... Estas son algunas de las amenazas a las que se enfrenta la Amazonia, la reserva de biodiversidad más importante de la Tierra. Allí viven, por ejemplo, 1700 especies conocidas, el 50% de todas las especies animales y representa el 30% de los bosques tropicales.

Los seres humanos también están directamente afectados por la muerte lenta de la Amazonia. Sólo en Brasil, en este ecosistema hay 330 000 indios, 220 etnias y 180 idiomas.

EXTREMOS TERRESTRES

Lugar más lluvioso
Monte Waialeale (Hawai)
Media anual 1196 cm^3

Lugar más seco
Desierto de Atacama (Chile)
Precipitación inapreciable

Lugar más caluroso
Al'Aziziyah (Arabia Saudí)
57ºC en el año 1922

Lugar más frío
Vostok (Antártida)
-88ºC en el año 1960

Ciudad más al norte
Ny Alesund (Spitzbergen)

Ciudad más al sur
Puerto Williams (Chile)

Ciudad más alta
Aucanquilcha (Chile)
5334 m

Ciudad más baja
Pueblos en el mar Muerto
-392 m

ACERTIJOS DE GEOGRAFÍA

1 ¿Cuál es el océano más tranquilo?

2 Cita un país con las cinco vocales.

3 Madrid empieza por M y termina por T. ¿Verdadero o falso?

4 ¿Qué provincia y ciudad española tiene nombre de animal?

5 ¿Qué país se queda en 1090 si le quitan las vocales?

SOLUCIONES

1. Océano Pacífico.
2. Mozambique.
3. Verdadero, "termina" empieza por "t".
4. León.
5. México en números romanos es MXC = 1090

C de Cultura

Ríos mar agua sol vapor nubes lluvia nieve montañas lagos

La Rueda del Agua

VERSOS SENCILLOS
JOSÉ MARTÍ

Yo soy un hombre sincero
De donde crece la palma,
Y antes de morirme quiero
Echar mis versos del alma.

Yo vengo de todas partes,
Y hacia todas partes voy:
Arte soy entre las artes,
En los montes, monte soy.

Si ves un monte de espumas,
Es mi verso lo que ves:
Mi verso es un monte, y es
Un abanico de plumas.

Ja, ja, ja, ja...

- ¿De dónde vienes?
- De Moscú.
- ¡Uy! Pues allí hace mucho frío, ¿verdad?
- No, no, ni frío ni calor: cero grados.

ALGUNOS SE VAN DE VACACIONES...

¡QUÉ SUERTE! ALGUNOS SE VAN DE VACACIONES.

BAH... EN LA PLAYA HAY MUCHA ARENA. Y MUCHA GENTE...

Y EN LOS LAGOS HAY MUCHOS MOSQUITOS. Y HORMIGAS... Y ARAÑAS.

Y EN LA MONTAÑA... BUF... HAY QUE ANDAR MUCHO... Y ES MUY PELIGROSO...

Y EN LOS CAMPINGS, CUANDO HACE MAL TIEMPO, ES HORRIBLE.

¿Y EN LAS GRANDES CIUDADES? EDIFICIOS, COCHES, RUIDO, HUMO...

CLARO... SI AQUÍ ESTAMOS MUY BIEN. ¿DÓNDE PODEMOS ESTAR MEJOR?

MAN03

¿EN LA PISCINA?

SÍ, ¡EN LA PISCINA!

UN LUGAR INTERESANTE

Vamos a preparar en grupos una pequeña conferencia sobre un país o una región donde se habla español. Puede ser un país que nos gustaría visitar o que conocemos.

TAREA

1 Vamos a agruparnos según qué lugar nos interese.

● ¿Quién quiere trabajar sobre México?
○ ¿Y sobre Andalucía?
● ¿Y…?

2 Luego, vamos a hacer una lista de temas sobre los que queremos hablar.

situación
habitantes
idioma/s
lugares de interés
clima
…

3 Vamos a buscar la información y preparar un guión detallado con la información para la presentación oral. También podéis preguntar a alguien que ha estado en ese lugar.

4 Presentamos nuestro trabajo al resto de la clase con ayuda de audiovisuales.

5 Vamos a decidir entre todos cuál ha sido la mejor presentación. Podemos puntuarlas de la siguiente manera:

-10 puntos por la originalidad
-10 puntos por la presentación
-10 puntos por el uso correcto de la lengua
-10 puntos por la pronunciación
-10 puntos por la fluidez

NECESITAMOS…

· Buscar información en Internet, en enciclopedias, en folletos de agencias de viajes, etc.
· Preguntar a gente que ha estado en ese lugar
· Buscar material gráfico: fotos, diapositivas, páginas web o vídeos

¡Felicidades!

En esta unidad vamos a:
Aprender a desenvolvernos en tiendas y a decidir qué les regalamos a los compañeros para sus cumpleaños.

Para ello vamos a aprender:
- a preguntar el precio
- a pedir en un bar o en un restaurante
- a hablar de fechas
- el verbo **estar**
- la preposición **para**
- los artículos: **un/una/unos/unas, el/la/los/las**
- los demostrativos **este/esta/estos/estas/esto**
- los números a partir del 100
- los colores

⑤ Tiempo libre

En esta unidad vamos a:
Realizar una encuesta sobre lo que hacemos en el tiempo libre.

Para ello vamos a aprender:
- a hablar de actividades de ocio
- a expresar frecuencia
- a hablar de la salud
- a expresar sensaciones y sentimientos
- formas para proponer actividades, quedar o disculparse
- a hablar de relaciones temporales: **antes de, después de**
- algunos verbos irregulares: **hacer, jugar, salir, ver, ir, poder, querer**

⑥ De vacaciones

En esta unidad vamos a:
Preparar una pequeña conferencia sobre un país ó sobre una región.

Para ello vamos a aprender:
- a describir lugares
- a situar lugares y objetos
- a hablar del clima
- a contar experiencias recientes: el Pretérito Perfecto
- a hablar del futuro: **ir + a +** Infinitivo
- algunos usos de **ser** y **estar**
- marcadores de lugar: **en, al norte/sur/... de, al lado de, delante de, detrás de,** etc.
- la impersonalidad con **se**
- las frases relativas
- los superlativos
- los pronombres personales de CD
- a expresar diferentes grados de seguridad

Repaso de las unidades 4, 5 y 6

¿Ya sabes...?

1 Ahora, en español, ya sabes, más o menos, hacer todas estas cosas, ¿verdad? Con un par de compañeros, busca otras frases para ampliar cada uno de los apartados. Las podéis copiar en cartulinas para decorar la clase y así recordarlas mejor. Tenéis que preparar diez frases.

Este regalo es para Anna

EN AGOSTO VOY A IR A MALLORCA

Tengo hambre

■ **Situar personas, objetos, lugares**
Marina está en la tienda de "chuches".
¿Los servicios? Al fondo a la derecha.
España está en el sur de Europa.
El móvil está debajo de la mochila.

■ **Desenvolverte en un bar o restaurante**
¿Tienen bocadillos calientes?
Para mí, una hamburguesa, por favor.
¿Cuánto es?

■ **Contar los números hasta los millones**
Cinco millones quinientos cincuenta y cinco mil quinientos cincuenta.

■ **Referirte al destinatario**
¿Para quién es este disco?
Este regalo es para ti.

■ **Describir o identificar por el color**
¿De qué color son los pantalones de Ana?
Quiero unos pantalones negros.
Me gusta esta bolsa azul.

■ **Hablar del precio**
¿Cuánto cuestan estos vaqueros?
¿Esta gorra cuesta veinticinco euros? Es un poco cara.

■ **Expresar cuándo y con qué frecuencia realizas una acción**
Después del colegio voy a clase de judo.
Yo entreno a tenis todos los sábados por la mañana.
¿Cuántas horas al día juegas al ajedrez?

■ **Hablar de aficiones**
Me gusta escuchar música.
Voy a la piscina con mi familia.
¿Practicas algún deporte?
Juego al tenis y hago judo.

■ **Hablar de estados físicos**
¿Qué te pasa?
Me duele la cabeza.
Estoy cansada.
No me encuentro bien.
Tengo sed.
¡Qué calor!

■ **Invitar y proponer actividades**
Si quieres, puedes venir a mi casa.
¿Quieres venir conmigo al cine?
¿Vamos al parque?
¿Por qué no vienes con nosotros de compras?

■ **Aceptar, quedar o excusarte**
Vale, muy bien.
¿A qué hora y dónde quedamos?
¿Qué tal a las seis?
Fenomenal, a las seis estoy allí.
No puedo, tengo que estudiar.

■ **Expresar deseos**
A mí me gustaría ir a un concierto.

■ **Describir países**
España tiene 42 millones de habitantes.

■ **Hablar del tiempo y del clima**
En el norte de España llueve bastante.
Guatemala tiene un clima tropical.

■ **Comparar**
Ciudad de México es la ciudad más poblada del mundo.

■ **Hablar de planes**
Mañana voy de compras con mis amigas.
En julio voy a ir a Perú.

■ **Relatar acciones pasadas**
¿Has estado en Argentina?
He visto una película muy interesante.

Palabras, palabras

2 ¡Qué lío! ¿Puedes ordenar esto? Hay varias soluciones.

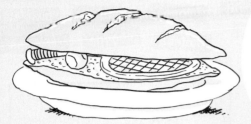

1. **una raqueta** de patatas → una raqueta de tenis
2. **unas gafas** de queso → ....
3. **una botella** de "chuches" → ....
4. **una tienda** de sol → ....
5. **un bocadillo** de tenis → ....
6. **una bolsa** de naranjada → ....
7. **unas zapatillas** de hamburguesas → ....
8. **un helado** de deporte → ....
9. **unos pantalones** de chocolate → ....
10. **una tortilla** de palomitas → ....

3 Clasifica en tu cuaderno las palabras siguientes:

isla	baloncesto
pierna	bufanda
queso	ciudad
jamón	vela
sudadera	país
naranjada	mano
agua	espalda
camiseta	submarinismo
cazadora	bañador
río	estómago

COMIDA O BEBIDA · ROPA · DEPORTES · LUGARES · PARTES DEL CUERPO

4 ¿Qué llevan puesto estos chicos?

El chico lleva...

La chica lleva...

5 ¿Qué tiempo hace en estos lugares?

La Coruña · Bilbao · Andorra · Barcelona · Madrid · Valencia · Palma de Mallorca · Cáceres · Murcia · Sevilla · Santa Cruz de Tenerife

En Palma de Mallorca hace buen tiempo.

¿Entiendes?

6 Kike y sus amigos están de vacaciones. Responde a las preguntas.

1. ¿Adónde van de vacaciones? ¿Van al Caribe?
2. ¿Qué lleva Jazmín en su equipaje?

3. ¿Qué cosas llevan? Escribe en tu cuaderno cuáles de estas:

música · bebidas · objetos de camping · ropa · libros · bicicletas · raquetas · patines · comida · revistas

EL VIAJE DE LA PEÑA

7 Lee este texto y escribe quién tiene en común las cosas de la pizarra.

MARISA BLANCO

El próximo mes cumple 14 años. Es muy habladora y muy simpática. Vive con su madre y su padrastro. No tiene hermanos ni animales en casa porque es alérgica. Le gusta ir al cine y escuchar música. Su país favorito es Chile, porque sus padres son chilenos y porque allí tiene muchos primos y amigos. Va de vacaciones a distintos países de Europa y, normalmente, en Navidades, va a Chile. Vive en un piso en el centro de la ciudad.

SUSANA PÉREZ

Tiene 13 años. Es de Málaga y vive con sus padres y sus tres hermanos. Tienen un perro que se llama "Puki". Le gusta ir de compras y ver la televisión. Y también la informática, sobre todo, navegar por Internet. Es un poco callada y muy trabajadora. Va de vacaciones en agosto con su familia a la playa. Vive en las afueras de la ciudad.

LAURA DÍAZ

Tiene 13 años. Es muy tímida, pero también simpática. Le gusta la fotografía, el cine y leer. De mayor quiere ser directora de cine. Vive con su madre, con su hermano y con su perro "Max". Le interesa mucho la informática. ¡Es un genio de la informática! En verano siempre va al pueblo de sus abuelos, que está en la playa, en la Costa Brava.

1. La edad:
2. Dos aficiones:
3. El lugar de vacaciones:
4. Un rasgo del carácter:
5. La mascota:

8 Escucha esta conversación entre dos amigas y contesta a las preguntas.

1. ¿Cuándo es la fiesta?
2. ¿Cómo van hasta la casa? ¿En qué medio de transporte?
3. ¿Dónde se encuentran?
4. ¿Por qué no va Luis a la fiesta?
5. ¿Qué regalo le van a comprar a Carlota?

¿Me lo explicas?

9 Imagina que estás en este lugar. Escribe una postal a un amigo en español. Cuéntale dónde estás, cómo es ese lugar, qué has visto, qué has hecho, etc.

Playa del Carmen

10 Vais a preparar, en parejas, una pequeña conversación sobre las próximas vacaciones. Podéis inventar un viaje. A ver quién inventa las vacaciones más increíbles. Tenéis que hablar al menos dos minutos sobre...

1. ¿Adónde vais? ¿En qué medio de transporte?
2. ¿Cuándo? ¿Cuánto tiempo?
3. ¿Con quién?
4. ¿Cómo es el sitio al que vais?
5. ¿Qué os vais a llevar?

El test

11 Contesta el test y luego comprueba los resultados con un compañero.

1. ● ¿Qué tiendas te gustan más a ti?
   ○ A mí me .... las tiendas de música.

   a. gusto
   b. gusta
   c. gustan

2. ● Perdone, ¿dónde .... los servicios?
   ○ Allí, al fondo.

   a. hay
   b. están
   c. son

3. ● ¿Cuánto cuestan estos vaqueros?
   ○ .... euros.

   a. Cientos
   b. Cien
   c. Ciento

4. ● ¿Qué te gusta?
   ○ Esta camiseta ..... y estos pantalones .....

   a. verdes - negras.
   b. verde - negros.
   c. verde - negra.

5. 1548
   a. Un mil quinientos cuarenta y ocho.
   b. Mil quinientos cuarenta y ocho.
   c. Mil quinientos y cuarenta y ocho.

6. Pedro ve la televisión y .... con el ordenador muchas horas, ¿no?

   a. juego
   b. juegan
   c. juega

7. ● ¿Qué les pasa a Beatriz y a Marta?
   ○ .... la cabeza.

   a. Le duelen
   b. Les duele
   c. Les duelen

8. Me he hecho daño en .... mano.

   a. mi
   b. la
   c. el

9. ● ¿Vienes a mi casa?
   ○ ....

   a. No puedo, tengo que estudiar.
   b. No puedes, tienes que estudiar.
   c. No puede, tiene que estudiar.

10. ● ¿Qué tal a las seis?
    ○ ....

    a. Bien, gracias.
    b. Fenomenal.
    c. Son muchas.

11. ● ¿Practicas algún deporte?
    ○ Sí, ... natación.

    a. juego
    b. entreno
    c. hago

12. ● ¿Cuándo vas a la piscina?
    ○ Tres veces ....

    a. semana.
    b. de la semana.
    c. a la semana.

13. ● ¡Hola!, ¿qué os pongo?
    ○ Yo .... un agua con gas.

    a. pongo
    b. quiero
    c. tengo

14. ● Queremos una botella de agua y tres .... de galletas.

    a. paquetes
    b. latas
    c. botes

15. En mi ciudad .... en invierno.

    a. hace mucho frío
    b. es mucho frío
    c. tiene frío

16. Belice es ....

    a. país más pequeño de América.
    b. el pequeño país de América.
    c. el país más pequeño de América.

17. Es una ciudad ... hay muchos monumentos.

    a. en la que
    b. en
    c. la que

18. ● ¿Dónde están las botas?
    ○ ....

    a. Las he puesto en la tienda.
    b. He puesto en la tienda.
    c. He puesto en la tienda las botas.

19. ● ¿Cómo vas?
    ○ Voy a Madrid .... coche.

    a. en
    b. a
    c. de

20. Marisa va a París .... lunes.

    a. en
    b. el
    c. al

C de cultura

12 Responde a estas preguntas. Puedes buscar información en el libro o en tus apuntes.

1. ¿De quién es el cuadro *Las Meninas*?

2. ¿Pues escribir tres tipos de música latina o española?

3. ¿Por qué la Amazonia está en peligro? ¿Recuerdas tres causas?

4. ¿Recuerdas en qué país está la ciudad más al sur del mundo?

5. ¿Qué provincia (y ciudad) española tiene nombre de animal?

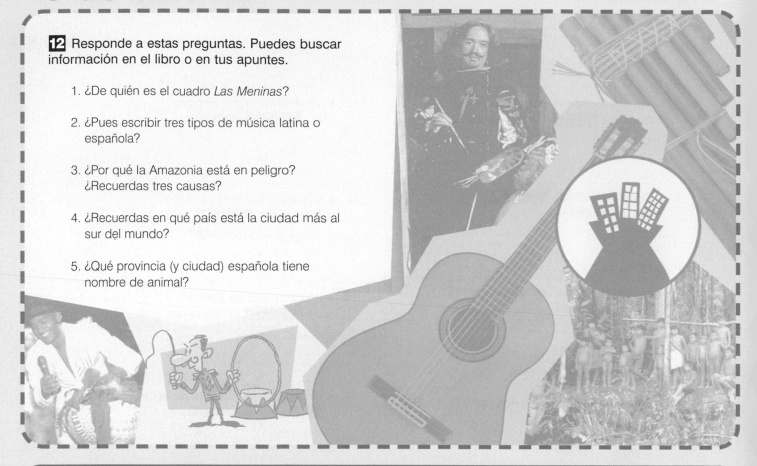

Tu agenda de español

A Cuenta los puntos (de 0 a 100) que te ha dado tu profesor en las actividades de repaso y anótalo en en tu agenda de español.

B Ya hemos trabajado con todo el libro. Hojea un poco las lecciones y anota en tu cuaderno:

– tres palabras que te gustan
– tres palabras difíciles de pronunciar
– tres reglas de gramática difíciles de recordar
– un ejercicio que no te ha gustado
– un ejercicio que te ha gustado mucho

C ¿Has mejorado en los siguientes temas?

¿Qué tal la pronunciación?
¿Y la gramática?
¿Puedes recordar muchas palabras?
¿Es difícil escribir?
¿Entiendes los textos que lees?
¿Hablas en español en clase?
¿Con los compañeros?
¿Y con el profe?

D Revisa y organiza tu Portfolio. ¿Notas que ya sabes bastante español? Puedes seguir añadiendo cosas el próximo curso.

E ¿Qué puedes hacer ahora, fuera de la escuela, para mejorar tu español? Aquí tienes tres ejemplos. Piensa en otras posibilidades y habla con tus compañeros y con tu profesor.

Escuchar canciones en español.
Navegar por páginas web en español.
Escribirte en español con algún chico o alguna chica.
....

:) Muy bien
:-) Bien
:-(No muy bien
>:(Mal

La
gran
chuleta
de
gramática

La gran chuleta de gramática

EL ABECEDARIO

A	**a**	al**e**m**á**n
B	**be**	**B**arcelona
C	**ce**	**c**asa, **c**ero
D	**de**	**d**ecir
E	**e**	**e**scribir
F	**efe**	**f**oto
G	**ge**	**g**ato, Ar**g**entina
H	**hache**	**h**ola
I	**i**	**I**nglaterra
J	**jota**	gara**j**e
K	**ca**	**k**ilómetro
L	**ele**	**L**atinoamérica
M	**eme**	**m**adre
N	**ene**	**n**ombre
Ñ	**eñe**	Espa**ñ**a
O	**o**	herman**o**
P	**pe**	**p**alabra
Q	**cu**	**q**uince
R	**erre**	p**r**ofeso**r**a, pe**rr**o
S	**ese**	fam**o**so
T	**te**	**t**ener
U	**u**	n**ú**mero
V	**uve**	**v**einte
W	**uve doble**	**k**iwi
X	**equis**	ta**x**i
Y	**i griega**	pla**y**a, **y**o
Z	**ceta**	**p**izarra

 En español los nombres de las letras son femeninos:

la be
la equis
la ele

PRONUNCIACIÓN

B - V
La **b** y la **v** se pronuncian igual: **b**urro, **v**ivir

C - QU
La **qu** delante de e / i se pronuncia como **qu**eso / e**qu**is

La **c** delante de a / o / u se pronuncia como **c**asa / **c**osa / **C**uba

C - Z
La **c** delante de e / i se pronuncia como on**c**e / domi**c**ilio

La **z** delante de a / o / u se pronuncia como pi**z**arra / **z**oo / **z**umo

G – J
La **g** delante de e / i se pronuncia como ar**g**entino / ele**g**ir

La **j** delante de a / o / u se pronuncia como **j**amón / **j**oven / **j**uego

*También existen palabras con **j** delante de **e** o **i**: **j**efe, **j**irafa.*

G - GU
La **g** delante de a / o / u se pronuncia como ju**g**ar / Bo**g**otá / **g**ustar

La **g** delante de ue / ui se pronuncia como portu**gu**és / **gu**itarra

H
La **h** no se pronuncia: **h**ola

R
Entre vocales, la **r** se pronuncia con un sonido débil: cultu**r**a.
Se pronuncia con un sonido fuerte cuando va a principio de una palabra y cuando se escribe **rr**: **R**oma, pe**rr**o

SÍLABA FUERTE Y ACENTOS

En español cada palabra tiene una sílaba fuerte que puede ocupar diferentes lugares.

PALABRAS ESDRÚJULAS ...■□□

Hay dos sílabas después de la tónica:
Química, te**lé**fono

PALABRAS LLANAS ...■□

Hay una sílaba después de la tónica:
casa, **le**tra

PALABRAS AGUDAS ...■

La sílaba tónica es la última sílaba:
ha**blar**, pa**pá**

 En español la mayoría de palabras son llanas.

Algunas palabras se escriben con tilde (acento gráfico) y otras no.

PALABRAS ESDRÚJULAS

Se escriben con tilde siempre: Mate**má**ticas, **Mé**xico, infor**má**tica

PALABRAS LLANAS

Se escriben con tilde cuando no terminan en **vocal**, **n** o **s**: **ár**bol, ca**rác**ter

PALABRAS AGUDAS

Se escriben con tilde cuando terminan en **vocal**, **n** o **s**: ma**má**, mi**llón**, Pa**rís**

¿"Libro" se escribe con acento?

No. "Libro" es una palabra llana y termina en vocal.

LOS ARTÍCULOS

INDETERMINADOS

un bolígrafo   **una** camiseta
unos helados   **unas** tiendas

DETERMINADOS

el bolígrafo   **la** camiseta
los helados   **las** tiendas

Tengo **una camiseta** blanca.
¿Dónde está **la camiseta** blanca?
Me gustan **las camisetas** blancas.
Mira, en esta tienda hay **camisetas**.
En esta tienda hay **unas camisetas** muy bonitas.

 de + el = **del**
a + el = **al**

Estoy en el comedor **del** colegio.
Voy **al** cine.

LOS NOMBRES: GÉNERO Y NÚMERO

En español hay nombres masculinos y femeninos:

MASCULINOS	FEMENINOS
el chico	la chica
el colegio	la clase

El género y el número afectan a las palabras que acompañan al nombre: los artículos, los demostrativos y los adjetivos.

Es **un** lugar bonit**o**.
Tiene **una** niñ**a** muy guap**a**.
Estos libro**s** son muy interesant**es**.
Estas libreta**s** roj**as** son de Kike.

Para saber el género de un nombre, podemos ver el artículo que lo acompaña o las terminaciones.

PALABRAS MASCULINAS

Generalmente son palabras masculinas las que terminan en **-o**, **-aje**, **-or**: ciel**o**, ole**aje**, comed**or**

PALABRAS FEMENINAS

Generalmente son palabras femeninas las que terminan en **-a**, **-ción**, **-sión**, **-dad**: mes**a**, can**ción**, diver**sión**, solidari**dad**

La gran chuleta de gramática

 Para formar el plural.

-VOCAL + -S
Si un nombre termina en vocal añadimos **-s**:
lengua - lengua**s**

-CONSONANTE + -ES
Si un nombre termina en consonante añadimos **-es**:
profesor - profesor**es**

DEMOSTRATIVOS

 Para identificar usamos los demostrativos.

SINGULAR	PLURAL
este	estos
esta	estas

Este ejercicio es un poco difícil.
¿Te gusta **ésta**?
Éstos son mis padres.
¿Quiénes son **estas** chicas?

*Cuando nos referimos a algo cuyo género no está determinado usamos **esto:***

● ¿Qué es **esto**?
○ ¿**Esto**? Un regalo para ti.

POSESIVOS

 Los posesivos concuerdan en género y en número con la cosa poseída, no con el poseedor.

SINGULAR
mi casa
tu hermano
su madre

nuestro hijo	**nuestra** hija
vuestro profesor	**vuestra** profesora
su abuelo	**su** abuela

PLURAL
mis casas
tus hermanos
sus madres

nuestros hijos	**nuestras** hijas
vuestros profesores	**vuestras** profesoras
sus abuelos	**sus** abuelas

¿Esta es **tu** mochila?
¿**Vuestro** colegio es muy grande?

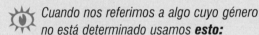

su madre = de Fernando
de María
de usted

sus padres = de Fernando
de María
de ustedes

ADJETIVOS CALIFICATIVOS

Algunos adjetivos tienen cuatro formas.

american**o**	american**a**	american**os**	american**as**
roj**o**	roj**a**	roj**os**	roj**as**

Tienen la misma forma para el masculino y para el femenino los adjetivos acabados en **-e** o en consonante.

un gorro **verde**	una camiseta **verde**
unos gorros **verdes**	unas camisetas **verdes**
un chico **formal**	una chica **formal**
unos chicos **formales**	unas chicas **formales**

Los adjetivos terminados en consonante (como los nombres) tienen el plural acabado en **-es**.

gris	gris**es**
ágil	ágil**es**

Los adjetivos terminados en **-ista** también son iguales para el femenino y para el masculino.

un hombre optim**ista**   una mujer optim**ista**

Los femeninos de muchos adjetivos terminados en consonante se forman añadiendo una **-a** al masculino.

francés	frances**a**
alemán	aleman**a**

La gran chuleta de gramática

GRADOS DE LAS CUALIDADES

Soy **demasiado** responsable.
Soy **muy** responsable.
Soy **bastante** responsable.
Soy **un poco** irresponsable
No soy **nada** responsable.

 ***Un poco** sólo se usa con adjetivos negativos.*

SUPERLATIVOS

Belice es **el** país **más** pequeño **de** América.
El Everest es **la** montaña **más** alta **del** mundo.

> Nacho es el menor
>
> Andrés es el mayor

LOS PRONOMBRES PERSONALES

PRONOMBRES SUJETO

Los pronombres sujeto son:

yo	
tú	usted
él	ella
nosotros	nosotras
vosotros	vosotras ustedes
ellos	ellas

En español, la marca de la persona está en el verbo. Por eso, muchas veces no es necesario el pronombre sujeto.

Hab**lo** español e italiano. (**-o** = yo)
Estudi**amos** español. (**-amos** = nosotros)

Pero en algunos casos los pronombres son necesarios, por ejemplo, cuando hay un contraste de diferentes informaciones sobre diferentes sujetos.

- ● **Yo** soy italiana, ¿y **tú**?
- ○ **Yo**, rumano.

Yo me llamo Laura y **ella**, Emilia.

O cuando preguntamos por alguien:

- ● ¿El señor González, por favor?
- ○ Soy **yo**.

TÚ / USTED

Para tratar con formalidad al interlocutor usamos **usted/ustedes**, que se combinan con los verbos en 3ª persona, como **él/ella** y **ellos/ellas**.

Si eres una persona joven, lo normal es utilizar **usted** o **ustedes** con todos los adultos desconocidos (un camarero, un policía, una persona en la calle…). En el colegio, los chicos y chicas españoles suelen utilizar **tú** o **vosotros** al dirigirse a los profesores.

 *En la mayoría de países latinoamericanos no se usa **vosotros**. Sólo se usa **ustedes**.*

PRONOMBRES CON PREPOSICIÓN

Con las preposiciones (**para**, **de**, **a**, **sin**...) se usan los siguientes pronombres.

para	mí
	ti/usted
	él/ella
	nosotros/nosotras
	vosotros/vosotras/ustedes
	ellos/ellas

¿Este paquete es **para mí** o **para ti**?

Un caso especial es la preposición **con**.

conmigo
contigo/con usted
con él/ella
con nosotros/nosotras
con vosotros/vosotras/ustedes
con ellos/ellas

¿Vienes al cine **conmigo**?
Me gusta estar **contigo**.
Normalmente juego al tenis **con ella**.

PRONOMBRES DE COMPLEMENTO DIRECTO

El CD (complemento directo) es la cosa o la persona que recibe la acción del verbo. Como en muchas lenguas, cuando ya sabemos a qué sustantivo nos referimos o queda claro por el contexto, éste se sustituye por un pronombre.

me	
te	
lo	**la**
nos	
os	
los	**las**

- ● ¿Y el chocolate?
- ○ **Lo** he puesto en la mochila.

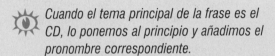 *Cuando el tema principal de la frase es el CD, lo ponemos al principio y añadimos el pronombre correspondiente.*

El chocolate **lo** he puesto en la mochila.

VERBOS CON PRONOMBRES

Algunos verbos, los llamados reflexivos, van siempre con pronombres, por ejemplo: **llamarse**, **quedarse**.

me
te
se
nos
os
se

¿**Te** quedas en casa o vienes?
Mi profesor **se** llama Carlos García.

 Bastantes verbos, como **gustar**, **encantar**, **interesar** o **doler,** se combinan siempre con pronombres.

me
te
le
nos
os
le

¿**Te** gusta jugar al ajedrez?
¿**Le** duele la cabeza a tu hermana?

EXISTENCIA: HAY

SINGULAR

En nuestro cole **hay** comedor.
En nuestro cole **no hay** comedor.

PLURAL

Hay diez aulas.
No hay muchos alumnos.

PREPOSICIONES

A

ir a Sevilla / México /...
a las tres de la tarde

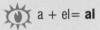 a + el= **al**

Voy **al** campo.
Voy **a la** playa.

CON

ir / estar / vivir /... **con** David

DE

venir **de** Roma
la mochila **de** Roberto
una mochila **de** plástico
las diez **de** la mañana

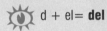 d + el= **del**

Vengo **del** comedor.
Vengo **de la** playa.

EN

en verano / Navidad /...
ir **en** coche / tren / avión /...
quedarse **en** casa / la ciudad /...
estar **en** casa / Alemania /...

PARA

un libro **para** Pamela

POR

viajar **por** España
pasar **por** Madrid

Este verano nos quedamos en casa

La gran chuleta de gramática

LOS NUMERALES

1	**uno**
2	**dos**
3	**tres**
4	**cuatro**
5	**cinco**
6	**seis**
7	**siete**
8	**ocho**
9	**nueve**
10	**diez**
11	**once**
12	**doce**
13	**trece**
14	**catorce**
15	**quince**
16	**dieciséis**
17	**diecisiete**
18	**dieciocho**
19	**diecinueve**
20	**veinte**
30	**treinta**
40	**cuarenta**
50	**cincuenta**
60	**sesenta**
70	**setenta**
80	**ochenta**
90	**noventa**
100	**cien**
200	**doscientos/as**
300	**trescientos/as**
400	**cuatrocientos/as**
500	**quinientos/as**
600	**seiscientos/as**
700	**setecientos/as**
800	**ochocientos/as**
900	**novecientos/as**
101	**ciento** un/uno/una
102	**ciento** dos
110	**ciento** diez
120	**ciento** veinte
1000	**mil**
2000	dos **mil**
10 000	diez **mil**
100 000	cien **mil**
200 000	doscientos/as **mil**
1 000 000	un **millón**
10 000 000	diez **millones**

15 714 359: quince **millones** setecientos catorce **mil** trescientos cincuenta **y** nueve

CUANTIFICADORES

Hago **un poco de** / **bastante** / **mucho** / **demasiado** deporte.

Mi hermano hace mucho deporte

→ **Bastante**, **mucho** y **demasiado** concuerdan en género y número cuando van con un sustantivo.

much**o** demasiad**o**	ruido	much**os** demasiad**os**	estudiantes
much**a** demasiad**a**	gente	much**as** demasiad**as**	mesas

→ **Nada**, **bastante**, **mucho**, **muy** y **demasiado** son invariables cuando van con un adjetivo o un verbo.

CON VERBO

Ana **no** estudia **nada**.
Ana estudia **bastante**.
Ana estudia **mucho**.
Ana estudia **demasiado**.

CON ADJETIVO

No son **nada** inteligentes.
Son **bastante** inteligentes.
Son **muy** inteligentes.
Son **demasiado** inteligentes.

→ Cuando queremos expresar una cantidad aproximada:

Unos cinco euros.
Unas tres hora al día.

Tres horas, **aproximadamente**.

Dos **o** tres horas.

La gran chuleta de gramática

MARCADORES ESPACIALES

aquí
allí
a tu lado
a mi lado
arriba
abajo
a la derecha
a la izquierda

¿Dónde está?

en el suelo →

 ← **debajo de** la mochila

encima de la mochila →

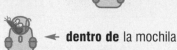 ← **dentro de** la mochila

detrás de la mochila →

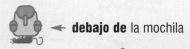 ← **delante de** la mochila

al lado de la mochila →

 ← **entre** la mochila **y** las botas

MARCADORES TEMPORALES

ayer

hoy

mañana

pasado mañana

marzo

→ Para referirnos al pasado y al futuro:

Este verano / otoño /...
Estas vacaciones / Navidad /...
El lunes / domingo /...
El día 10 / 14 /...
En agosto / Pascua /...

Estas vacaciones he estado en Guatemala.
El lunes voy a Madrid.

→ Para referirnos a acciones habituales.

Los lunes / martes / miércoles /...
En Navidad / verano /...

Los viernes voy a la piscina.

→ Para hablar de la frecuencia.

siempre
normalmente

una vez al día / al mes / al año / a la semana
dos **veces al día / al mes / al año / a la semana**

muchas veces
a veces
nunca

Voy de vacaciones a España **dos veces al año**.
Siempre voy al cine con mis padres.

→ Para secuenciar.

antes del colegio   **después de** las clases

antes de las seis   **después de** las seis

> Hoy, después de las clases, vamos a una fiesta

IMPERSONALIDAD CON SE

En México **se** habla español.
En Latinoamérica **se** come mucha fruta.
En Colombia **se** produce mucho café.
En España **se** hablan cuatro lenguas.

La gran chuleta de gramática

INTERROGATIVAS

- **¿Quién** es este chico de la foto?
- ○ Javi, mi hermano pequeño.

- **¿Dónde** están los servicios?
- ○ Al fondo a la derecha.

- **¿Adónde** vas a ir el domingo?
- ○ A casa de mis abuelos.

- **¿De dónde** es Bernard?
- ○ De París.

- **¿Con quién** están hoy los niños?
- ○ Con María José.

- **¿Cómo** vas a ir a Grecia? ¿En avión?
- ○ No, en barco.

- **¿Cuándo** tienes vacaciones?
- ○ En agosto. ¿Y tú?

- **¿Cuánto** cuesta este jersey?
- ○ Treinta euros.

- **¿Cuánta** pasta has comprado?
- ○ Dos kilos.

- **¿Cuántos** años tiene Lara?
- ○ Catorce.

- **¿Cuántas** galletas quieres?
- ○ Solo una.

- **¿Por qué** no vas al colegio?
- ○ Porque estoy enfermo.

- **¿Qué** te gusta hacer los domingos?
- ○ Ir al cine.

- **¿Cuál** te gusta más? ¿Este o este?
- ○ El azul.

- **¿Cuáles** te gustan? ¿Los rojos o los grises?
- ○ Los rojos.

Y, PERO, NO… NI…

→ Para unir elementos o frases.

Hago karate **y** surf.
Víctor es español **y** Pamela es mexicana.

→ Para unir dos negaciones.

No hago karate **ni** surf.

→ Cuando unimos dos cosas que se contradicen.

Quiero ir al cine **pero** tengo muchos deberes.

SÍ/NO, TAMBIÉN/TAMPOCO

sí ▸▸ **también**
no ▸▸ **tampoco**

Laura habla inglés **y también** un poco de francés.

- Yo hablo inglés.
- ○ Yo **también**.

Yo **no** hablo inglés **y tampoco** italiano.

- Yo **no** hablo italiano.
- ○ Yo **tampoco**.

RELATIVAS

Es un país.
Tiene muchas montañas.

Es un país **que** tiene muchas montañas.

Es un país **en el que** se habla francés.
Es un país **donde** se habla francés.

Es una región **en la que** se cultiva café.
Es una región **donde** se cultiva café.

LOS VERBOS

 En español hay tres tipos de verbos, es decir, tres conjugaciones.

INFINITIVO EN -AR

estudi**ar**
trabaj**ar**
orden**ar**

INFINITIVO EN -ER

beb**er**
le**er**
corr**er**

INFINITIVO EN -IR

escrib**ir**
viv**ir**
traduc**ir**

ALGUNOS USOS

 Para hablar de acciones actuales o habituales usamos el Presente.

Vivo en Alemania.
Los lunes **voy** a la piscina.

 Para hablar del futuro podemos usar varias formas.

IR + A + INFINITIVO

Este verano **voy a viajar** por Alemania.
Mañana **voy a salir** con Laura.

PRESENTE

Mañana **voy** a París.
Este verano **me quedo** en casa.

PRETÉRITO PERFECTO

 Para hablar del pasado, en español hay varios tiempos. De momento, hemos estudiado el Pretérito Perfecto, que sirve para hablar de acciones pasadas muy relacionadas con el presente o que no interesa decir cuándo han sucedido. (En *Gente joven 2* estudiaremos otros tiempos pasados.)

HABER + PARTICIPIO

(yo)	**he**	
(tú)	**has**	
(él, ella, usted)	**ha**	
(nosotros, nosotras)	**hemos**	+ estudiado
(vosotros, vosotras)	**habéis**	
(ellos, ellas, ustedes)	**han**	

 El Participio se forma de la siguiente manera.

VERBOS EN -AR	VERBOS EN -ER/-IR	
-ADO	**-IDO**	
estudiar	leer	salir
estudi**ado**	le**ído**	sal**ido**

 Hay algunos participios irregulares.

abrir	**abierto**
hacer	**hecho**
decir	**dicho**
poner	**puesto**
escribir	**escrito**
ver	**visto**
volver	**vuelto**

El Participio es invariable, no tiene género ni número y no se puede colocar nada entre el verbo auxiliar y el Participio.

No he ~~todavía~~ desayunado.

OBLIGACIÓN

Para expresar obligación usamos.

DE FORMA PERSONAL

Tener que + Infinitivo

DE FORMA IMPERSONAL

Hay que + Infinitivo

Tengo que estudiar.
Para tener buenas notas **hay que** estudiar.

¿Vienes a la playa?

No puedo. Mañana tengo un examen y tengo que estudiar...

VERBOS REGULARES

1ª CONJUGACIÓN: -AR

PRESENTE

(yo)	orden**o**
(tú)	orden**as**
(él, ella, usted)	orden**a**
(nosotros, nosotras)	orden**amos**
(vosotros, vosotras)	orden**áis**
(ellos, ellas, ustedes)	orden**an**

PRETÉRITO PERFECTO

(yo)	he	orden**ado**
(tú)	has	orden**ado**
(él, ella, usted)	ha	orden**ado**
(nosotros, nosotras)	hemos	orden**ado**
(vosotros, vosotras)	habéis	orden**ado**
(ellos, ellas, ustedes)	han	orden**ado**

Verbos como:

anotar, ayudar, bailar, buscar, celebrar, chatear, comparar, comprar, completar, contestar, copiar, deletrear, dibujar, escuchar, estudiar, expresar, grabar, hablar, llegar, mejorar, mirar, necesitar, practicar, preparar, pronunciar, regalar, trabajar, visitar

2ª CONJUGACIÓN: -ER

PRESENTE

(yo)	beb**o**
(tú)	beb**es**
(él, ella, usted)	beb**e**
(nosotros, nosotras)	beb**emos**
(vosotros, vosotras)	beb**éis**
(ellos, ellas, ustedes)	beb**en**

PRETÉRITO PERFECTO

(yo)	he	beb**ido**
(tú)	has	beb**ido**
(él, ella, usted)	ha	beb**ido**
(nosotros, nosotras)	hemos	beb**ido**
(vosotros, vosotras)	habéis	beb**ido**
(ellos, ellas, ustedes)	han	beb**ido**

Verbos como:

creer, comer, comprender, corresponder, leer

3ª CONJUGACIÓN: -IR

PRESENTE

(yo)	viv**o**
(tú)	viv**es**
(él, ella, usted)	viv**e**
(nosotros, nosotras)	viv**imos**
(vosotros, vosotras)	viv**ís**
(ellos, ellas, ustedes)	viv**en**

PRETÉRITO PERFECTO

(yo)	he	viv**ido**
(tú)	has	viv**ido**
(él, ella, usted)	ha	viv**ido**
(nosotros, nosotras)	hemos	viv**ido**
(vosotros, vosotras)	habéis	viv**ido**
(ellos, ellas, ustedes)	han	viv**ido**

Verbos como:

añadir, decidir, descubrir, discutir, escribir, recibir, vivir

La gran chuleta de gramática

VERBOS IRREGULARES

INFINITIVO	PRESENTE	PARTICIPIO
conocer	conozco	conocido
	conoces	
	conoce	
	conocemos	
	conocéis	
	conocen	
dar	doy	dado
	das	
	da	
	damos	
	dais	
	dan	
decir	digo	dicho
	dices	
	dice	
	decimos	
	decís	
	dicen	
dormir	duermo	dormido
	duermes	
	duerme	
	dormimos	
	dormís	
	duermen	
estar	estoy	estado
	estás	
	está	
	estamos	
	estáis	
	están	
hacer	hago	hecho
	haces	
	hace	
	hacemos	
	hacéis	
	hacen	
ir	voy	ido
	vas	
	va	
	vamos	
	vais	
	van	

INFINITIVO	PRESENTE	PARTICIPIO
jugar	juego	jugado
	juegas	
	juega	
	jugamos	
	jugáis	
	juegan	
oír	oigo	oído
	oyes	
	oye	
	oímos	
	oís	
	oyen	
pensar	pienso	pensado
	piensas	
	piensa	
	pensamos	
	pensáis	
	piensan	
preferir	prefiero	preferido
	prefieres	
	prefiere	
	preferimos	
	preferís	
	prefieren	
poder	puedo	podido
	puedes	
	puede	
	podemos	
	podéis	
	pueden	
poner	pongo	puesto
	pones	
	pone	
	ponemos	
	ponéis	
	ponen	
querer	quiero	querido
	quieres	
	quiere	
	queremos	
	queréis	
	quieren	

INFINITIVO	PRESENTE	PARTICIPIO
saber	sé	sabido
	sabes	
	sabe	
	sabemos	
	sabéis	
	saben	
salir	salgo	salido
	sales	
	sale	
	salimos	
	salís	
	salen	
ser	soy	sido
	eres	
	es	
	somos	
	sois	
	son	
tener	tengo	tenido
	tienes	
	tiene	
	tenemos	
	tenéis	
	tienen	
traer	traigo	traído
	traes	
	trae	
	traemos	
	traéis	
	traen	
venir	vengo	venido
	vienes	
	viene	
	venimos	
	venís	
	vienen	
ver	veo	visto
	ves	
	ve	
	vemos	
	veis	
	ven	

RECURSOS PARA LA COMUNICACIÓN

SALUDAR Y DESPEDIRSE

¡Hola!
Buenos días.
Buenas tardes.
Buenas noches.

¡Adiós!
¡Buen fin de semana!
Hasta luego.
Hasta mañana.
Hasta el viernes.

Chao, ¡hasta mañana!

¡Hasta mañana!

CONTROL DE LA COMUNICACIÓN

¿**Cómo se escribe** tu apellido?
¿**Se escribe con** uve / acento / hache /...?
¿**Cómo se escribe** "zapato"?
¿"Nariz" **lleva acento**?
¿**Cómo se dice** *goodbye* en español?
¿**Cómo se llama** esto en español?
¿**Qué significa** "cuaderno"?
¿**En qué página** estamos?
¿**En qué ejercicio** estamos?
¿**Cómo dices**?
¿**Puedes hablar más alto**, por favor?
¿**Puedes volverlo a explicar**?
¿**Puedes hablar más despacio**, por favor?
¿**Puedes escribirlo en la pizarra**?

INFORMACIÓN PERSONAL

NOMBRE: Pedro
APELLIDOS: Martínez Arroyo
LUGAR DE NACIMIENTO: Ronda (Málaga)
FECHA: 14-6-93
DOMICILIO: C/ Zurbano, 14, 28010 Madrid

● ¿**Cómo te llamas**?
○ (**Me llamo**) Pedro.

● ¿**Cómo te apellidas**?
○ Martínez Arroyo.

● ¿**De dónde eres**?
○ Español, **de** Málaga.

● ¿**Dónde vives**?
○ **En** Bilbao.

● ¿**Cuántos años tienes**?
○ (**Tengo**) doce.

● ¿**Cuándo es tu cumpleaños**?
○ **El** 5 **de** agosto.

IDENTIFICAR A PERSONAS

● ¿**Quién es** Enrique?
○ **Es** un amigo. / **Es** el novio de mi hermana.

● ¿**Quiénes son**?
○ **Son** unos amigos. / **Son** mis padres.

● ¿**Eres** Jaime?
○ No, yo me llamo Ernesto.

● ¿**Es usted** el señor Vázquez?
○ **Sí, soy yo.**

¿Quién es?

El novio de mi hermana

La gran chuleta de gramática

EL TELÉFONO Y EL CORREO ELECTRÓNICO

- **¿Cuál es tu número de teléfono?**
- **(Es el)** 4859584.

- **¿Tienes móvil?**
- **Sí, es el** 678843671.

- **¿Tienes correo electrónico?**
- Sí.

- **¿Cuál es tu dirección de correo electrónico?**
- Alicia@hotline.es

 @ *se dice* **arroba**.

HABLAR DEL ASPECTO FÍSICO

¿Cómo es?

Tiene el pelo muy largo.
Tiene el pelo rubio.
Tiene el pelo rizado.
Tiene los ojos marrones.
Tiene los ojos muy bonitos.

Es rubio/a.
Es bastante alto/a y moreno/a.

Es alto/a.
Es bajito/a.
Es delgado/a.
Es gordito/a.

Lleva gafas.
    bigote.

Es muy guapo/a.
Es bastante guapo/a.
No es muy guapo/a.
Es un poco feo/a.

No es ni alto/a **ni** bajo/a.

 En cambio, el verbo **estar** *expresa un estado pasajero.*

Juani **está** guapa hoy.
Roberto **está** muy moreno.

HABLAR DEL CARÁCTER

Soy muy responsable y muy ordenado.
Laura **es** un poco despistada.
Tus padres **son** muy simpáticos.

LA HORA Y LAS PARTES DEL DÍA

- **¿Qué hora es?**
- **Es la** una. / **Son las** dos.

 Son las 2 **y cuarto**.

 Son las 2 **y media**.

 Son las 2 **y diez**.

 Son las 2 **menos cuarto**.

 Son las 2 **menos cinco**.

- **¿A qué hora** tienes la clase?
- **A las** once. / **A la** una.

LOS DÍAS DE LA SEMANA

lunes	viernes
martes	sábado
miércoles	domingo
jueves	

- Hoy **es lunes**, ¿verdad?
- No, hoy **es martes**.

- Mañana, **¿qué día es?**
- **Miércoles**.

- ¿Qué haces **los domingos?**
- Juego al tenis.

 Los días de la semana son masculinos.

- ¿Cuándo es la fiesta?
- **El** sábado.

ÉPOCAS DEL AÑO

En Semana Santa vamos normalmente a la playa.
En verano hace mucho calor y a veces llueve.
En junio empiezan las vacaciones.

HABLAR DE GUSTOS Y PREFERENCIAS

Me interesa mucho la historia.
Me gusta mucho la informática.

No me interesa el deporte.
No me gusta el fútbol.

No me interesa nada este libro.
No me gusta nada este coche.

● **¿Te gusta** el tenis?
 ¿Te gustan estos pantalones?
 ¿Os interesa la informática?
 ¿Os interesan los videojuegos?

○ **Sí, mucho.**
 No, no mucho.
 No, nada.

● ¿Os interesa la informática?
○ **A mí sí.**
■ **A mí también.**

● ¿Os gusta el fútbol?
○ **A mí no.**
■ **A mí tampoco.**

Mi asignatura **favorita es** el inglés.
Mi deporte **favorito es** el baloncesto.

No me gusta el campo, **prefiero** la playa.

● ¿Tú cuál **prefieres**? ¿Este o este?
○ **Este.**

¿DÓNDE...?

Perdona/e, ¿dónde están los servicios?
¿Los servicios, por favor?

Por allí. A la derecha.
Al fondo, a la izquierda.

PARA PAGAR

● **¿Cuánto es?**
○ Trece euros.
● **Aquí tiene.**

PREGUNTAR EL PRECIO

● **¿Cuánto cuesta** esta camiseta?
○ Veinticinco euros.

● **¿Cuánto cuestan** estos pantalones?
○ Treinta y cinco euros.

PEDIR EN UN BAR

¿Tienen bocadillos calientes?
Yo quiero una ración de patatas fritas.
Para mí una pizza de queso.
Un agua con gas, **por favor**.

ESTADOS FÍSICOS

¿Qué te pasa?

Me duele la cabeza.
Me duelen las piernas.

Tengo dolor de cabeza / estómago /...

Estoy resfriado/a.
Estoy mareado/a.
Estoy cansado/a.

No me encuentro (muy) **bien.**
Me he hecho daño en la mano / el pie /...

Tengo (un poco de) **sed / hambre / calor / frío.**

¡Qué calor / frío!
¡Qué sed / hambre!
¡Qué daño!
¡Qué dolor (**de** cabeza / estómago /...)!

 *El verbo **estar** expresa un estado pasajero.*

INVITAR, PROPONER

Si quieres, puedes venir a mi casa.

¿Quieres venir conmigo / con nosotros?

¿Por qué no vienes a mi casa / con nosotros?

¿Vamos de compras?

CITARSE Y ACEPTAR

● **¿A qué hora quedamos?**
○ A las cinco.

● **¿Dónde quedamos?**
○ ¿Quedamos en mi casa?

● **¿Qué tal a las** seis?
○ **Fenomenal,** a las seis estoy allí.
  Vale.
  Muy bien.

¿Quieres jugar con nosotros?

¡Vale!

EXCUSARSE

No puedo, tengo que estudiar.
No puedo, estoy resfriado.

SITUAR LUGARES

España **está al norte de** Marruecos.
España **está al sur de** Francia.
España **está al este de** Portugal.
España **está al oeste de** Italia.

Suecia **está en el norte** de Europa.
España **está en el sur** de Europa.

 *Para hablar de la situación de un lugar geográfico se utiliza el verbo **estar**.*

DESCRIBIR PAÍSES

Nicaragua **tiene** cinco millones **de habitantes**.
Tiene 140 000 km².
Tiene un clima tropical / continental / mediterráneo.
España **tiene** montañas muy altas.

HABLAR DEL TIEMPO Y DEL CLIMA

En verano, en España **hace bastante calor**.
Aquí hoy **hace muy buen tiempo**.
En mi país en invierno **hace mal tiempo**.
En el norte de España **llueve mucho**, ¿verdad?
Hace mucho frío, ¿no?
No vamos a esquiar. **Hace viento**.
En los Pirineos **nieva**.

Mapas culturales

Mapa de España

1. La pesca y el consumo de marisco es muy importante en Galicia.

2. Se cree que el apóstol Santiago está enterrado en Santiago de Compostela. Por este motivo, miles de peregrinos recorren cada año el Camino de Santiago.

3. La Catedral de Santiago de Compostela es una de las catedrales más espectaculares de España.

4. La sidra, que se obtiene por fermentación del zumo de manzana, es la bebida típica de Asturias.

5. La pesca es muy importante en todo el litoral cantábrico.

6. El Peine de los Vientos, situado en San Sebastián, es una de las obras más destacadas del escultor vasco Eduardo Chillida.

7. El *Guernica* de Picasso representa el ataque de la aviación nazi a la población vasca de Guernica.

8. La Catedral de León es una obra maestra del estilo gótico.

9. San Fermín es una de las fiestas populares más conocidas de España; en los famosos "encierros", la gente corre por las calles de Pamplona delante de los toros.

10. El Pirineo cuenta con numerosas estaciones de esquí.

11. La iglesia de Sant Climent de Taüll es una de las iglesias románicas más interesantes del Pirineo.

12. Salvador Dalí es uno de los pintores más representativos del Surrealismo.

13. Obra del arquitecto modernista Antoni Gaudí, la Sagrada Familia es uno de los símbolos de la ciudad de Barcelona.

14. Los "castillos humanos" son una de las tradiciones catalanas más espectaculares.

15. El Anfiteatro Romano de Tarragona es uno de los mejor conservados del país.

16. La Basílica de Nuestra Señora del Pilar es el símbolo de la ciudad de Zaragoza.

17. En la región de La Rioja se producen algunos de los mejores vinos del mundo.

18. El Castillo de la Mota, construido en el siglo XII, es uno de los más importantes de Castilla.

19. La tuna es una institución universitaria que mantiene vivas las costumbres heredadas de los estudiantes españoles del siglo XIII: su amor por el romanticismo, la noche, la música y los viajes.

20. El toro es uno de los símbolos nacionales de España.

21. En las llanuras de Castilla y León se cultiva una gran variedad de legumbres y cereales.

22. Obra del arquitecto Sabatini en 1778, la Puerta de Alcalá es uno de los monumentos más emblemáticos de Madrid.

23. *Las Meninas* de Velázquez y otras obras muy importantes de la pintura mundial están expuestas en el Museo del Prado de Madrid.

24. Mérida cuenta con un impresionante conjunto arqueológico romano en el que destaca el Teatro Romano.

25. En la zona de Guijuelo, provincia de Salamanca, se produce un jamón y unos embutidos de primera calidad.

26. Las tierras de La Mancha son famosas por sus molinos de viento.

27. El queso manchego es uno de los más apreciados de la Península.

28. Las naranjas valencianas son famosas en el mundo entero.

29. La paella es un plato típico valenciano.

30. Benidorm es uno de los principales destinos turísticos de España.

31. En Extremadura, Andalucía y otros lugares de España se cría una raza autóctona de cerdos, el cerdo ibérico, conocida como "pata negra".

32. Construida en el siglo XIII, la Torre del Oro es uno de los edificios más emblemáticos de Sevilla.

33. La fiesta de los toros es probablemente la más característica de España.

34. Jaén es conocida por las aceitunas que produce.

35. La huerta murciana posee una de las agriculturas más productivas del país.

36. El vino de Jerez es uno de los más típicos de España.

37. La Alhambra de Granada es uno de los palacios árabes mejor conservados del mundo.

38. La Costa del Sol es otro de los destinos turísticos preferidos de España.

39. En Semana Santa suele haber procesiones por todo el país; algunas de las más vistosas son las de Andalucía. Los penitentes que se visten con túnica morada son los llamados "nazarenos".

40. En Menorca se produce una ginebra autóctona de gran calidad.

41. Tanto en Mallorca como en Menorca se conservan numerosos restos megalíticos.

42. En algunas zonas de Ibiza, las mujeres siguen utilizando los vestidos tradicionales ibicencos.

43. En las Islas Canarias hay muchas palmeras.

44. Debido a su accidentado relieve, en La Gomera se desarrolló una peculiar forma de comunicación mediante silbidos.

45. El Teide es la montaña más alta de España.

46. Las Canarias son conocidas por los exquisitos plátanos que produce.

47. Obra del arquitecto Santiago Calatrava, el espectacular Auditorio de Santa Cruz de Tenerife es uno de los nuevos símbolos de las islas.

48. En la isla de Fuerteventura hay muchos camellos.

49. Las Islas Canarias son uno de los principales destinos turísticos del país.

Mapa de Latinoamérica

1. Los gauchos son jinetes que se dedican a la ganadería.

2. Capital de la Patagonia andina, Bariloche es uno de los centros turísticos más importantes de Argentina, principalmente por el esquí.

3. El barrio de La Boca, con sus características casas de colores, es uno de los símbolos de la ciudad de Buenos Aires.

4. El tango es la música nacional argentina y uruguaya por excelencia.

5. Las espectaculares Cataratas de Iguazú están situadas entre Argentina, Brasil y Paraguay.

6. Chile es un gran productor de vino.

7. El mate es la bebida típica argentina; se sirve en un recipiente hecho con una calabaza hueca y se bebe por una bombilla de metal.

8. La llama es uno de los animales más característicos de la cordillera de Los Andes y en especial del altiplano boliviano.

9. El cóndor es una de las aves voladoras más grandes del mundo. Su vuelo majestuoso es un símbolo de los Andes.

10. Uno de los aspectos más característicos de las culturas andinas son sus tejidos.

11. El Machu Picchu es un conjunto arqueológico inca muy espectacular.

12. En Perú se conservan numerosos restos de la época inca.

13. El mayor interés turístico de la Isla de Pascua son unas gigantescas esculturas de piedras llamadas "moais".

14. La Catedral de Quito es la más antigua de América del Sur.

15. El archipiélago de Galápagos es famoso por su fauna, y en especial por los galápagos, una especie de tortugas con el cuello largo que suelen vivir más de 100 años.

16. El tucán es un ave trepadora de plumaje coloreado y pico voluminoso, característica de la América tropical.

17. Colombia es el segundo productor de café del mundo, después de Brasil.

18. El subsuelo colombiano es muy rico en yacimientos de oro, plata, platino y esmeraldas.

19. La selva amazónica abarca zonas de Perú, Ecuador, Colombia, Venezuela, Guyana, Surinam, Guayana Francesa, Bolivia y gran parte de Brasil.

20. El petróleo es la principal riqueza económica de Venezuela.

21. En el fondo del mar Caribe se encuentran numerosos barcos hundidos por los piratas.

22. El mango, la papaya y la guayaba son frutas típicas de la zona caribeña.

23. El Canal de Panamá, que comunica el Atlántico con el Pacífico, es una de las obras de ingeniería más importantes del mundo.

24. En América Central se cultiva mucho cacao.

25. El quetzal, ave típica de los bosques centroamericanos y mexicanos, es uno de los símbolos nacionales de Guatemala.

26. En Centroamérica se han encontrado numerosos códices mayas.

27. Palenque es una de las ciudades mayas más importantes y espectaculares del México antiguo.

28. La Catedral Metropolitana de México DF, construida en la época colonial, es una de las obras arquitectónicas más importantes de América.

29. La música popular mexicana por excelencia es el mariachi.

30. El norte de México es una zona desértica.

31. Los puros cubanos son famosos en el mundo entero por su extraordinaria calidad.

32. La música es uno de los pilares de la cultura cubana y el son, uno de los estilos autóctonos más conocidos.

33. El merengue y la bachata son dos de los estilos musicales más característicos de la República Dominicana.

34. En las costas de Puerto Rico es muy habitual la pesca del atún y del pez espada.